AF269868

Guía para el

3ª edición: enero 2022

Traducido del inglés por Andrés Guijarro
Diseño de portada: Editorial Sirio, S.A.
Ilustración de Linda Ravenscroft

©   Mystic Faerie Tarot
    2007 Linda Ravenscroft

©   A Gyude to Mystic Faerie Tarot
    2007 Barbara Moore

    Publicado por Llewellyn Publications
    Woodbury, MN 551125 USA
    www.llewellyn.com

©   de la presente edición
    EDITORIAL SIRIO, S.A.
    C/ Rosa de los Vientos, 64
    Pol. Ind. El Viso
    29006-Málaga
    España

www.editorialsirio.com
sirio@editorialsirio.com

I.S.B.N.: 978-84-7808-572-9

Impreso en Imagraf Impresores, S. A.
c/ Nabucco, 14 D - Pol. Alameda
29006 - Málaga

Impreso en España

Puedes seguirnos en Facebook, Twitter, YouTube e Instagram.

El papel utilizado para la impresión de este libro está **libre de cloro** elemental (ECF) y su procedencia está certificada por una entidad independiente, no gubernamental, que promueve la sostenibilidad de los bosques.

Barbara Moore

Guía para el

Tarot de las Hadas

EDITORIAL SIRIO

Dedicatoria

A Jessica, joven notable que funde hermosamente lo místico con lo práctico en su magia artística, y a Lisa, por su ánimo y su profunda comprensión del diez de copas. Gracias, Linda, por crear tan hermosas imágenes y por darme algo mágico sobre lo que poder escribir. Gracias especialmente a Becky por clarificar y pulir mis escritos y también por el diseño del libro.

B. M.

A mi modelo y hada-musa, mi hija Vivien; también a sus amigos Lizzie, Myles y Dom, que sólo me cobraron una libra por servir de modelos.

A la pequeña Charlotte, que siempre brillará en nuestros corazones.

Y especialmente gracias a mi sufrido marido, John; a mamá y papá, mis mejores críticos; a mi hermana Vivien y a Matty; a Barbara, que tan hermosamente ha traducido mis imágenes en palabras, y a mis amigos de Macouti: Mel, Helen, Zie y Nome, pero especialmente a Trish (mi estrella) y a Stigg (un excelente rey); también a Angi, Merni y Silas, de la galería Duirwaigh.

L. R.

Nota de la pintora

Nací en 1963 y soy una típica Piscis; prefiero siempre vivir en un mundo de ensueño, un mundo que desde que tengo memoria he tratado de pintar y al que me puedo retirar cuando las cosas se ponen feas. Todavía visito con frecuencia mi mundo de ensueño, aunque ahora esté mucho más afectado por el mundo real.

Allí es donde voy a pintar.

Vivo en el hermoso condado de Cheshire, en Inglaterra, con mi marido, John, mi hija, Vivien, y numerosos animales domésticos.

Mi casa está situada cerca de un pequeño bosque, que es para mí una constante fuente de inspiración. En mis pinturas utilizo diversas técnicas, pero mi favorita es la acuarela. Me encanta la suavidad de los colores y la forma en que se mezclan unos con otros.

Mi inspiración tiene orígenes diversos. Me baso mucho en mis sueños y en mi sentir interno, como siempre he hecho desde que era niña; también en el amor por la naturaleza que me fue inculcado por mis padres y en los maravillosos cuentos de mitos y leyendas que me relataban al acostarme.

Ahora, siendo adulta, y con más experiencia del mundo, recibo la influencia de pintores del pasado, entre ellos Alphonse Mucha y William Morris, así como de la época en la que ambos vivieron y trabajaron. Lo sobrenatural e inexplicado me fascina, y estos elementos ayudan a encender mi imaginación y me permiten crear imágenes.

La idea de las hadas o espíritus de la naturaleza —llámalos como quieras— es tan antigua como el tiempo. Para mí, representan el mundo natural en el que vivimos. Creamos o no en las hadas, siento que ellas tienen un lugar en nuestra sociedad moderna, incluso mucho más que en el pasado.

Ya es hora de que abramos los ojos a nuestro hermoso mundo, así como a nuestros sentimientos y comportamiento con nuestros semejantes. Es hora de abrir los ojos y ver todo el daño que estamos haciendo.

Para mí es más fácil expresar mis sentimientos a través de imágenes. Irónicamente, el tipo de sentimientos que te hace sentir impotente puede convertirse en las imágenes más encantadoras. Me refiero a algunas de mis mayores y más complicadas pinturas, las cuales contienen mensajes de esperanza y un amable recordatorio de que nos ocupemos más del mundo en que vivimos y también de nuestros semejantes.

La mayoría de mis imágenes son serenas y bondadosas, aunque todos tenemos un lado más oscuro y apasionado que aguarda siempre salir a la superficie. Después de todo, somos tan sólo humanos.

Creo firmemente que en nuestro corazón todos poseemos la magia de las hadas, que nos ayuda a tomar las decisiones correctas en nuestra vida diaria. Únicamente tenemos que buscarla.

He pintado este tarot con inspiración y amor hacia este maravilloso mundo en el que vivimos. Los relatos contenidos en las cartas nos preguntan continuamente acerca de nuestro modo de vida y acerca de cómo tratamos a nuestros semejantes y a las demás criaturas. Espero que este tarot traiga esperanza y suerte a todos quienes lo posean y lo usen.

Brilla con esplendor y vive tus sueños,

Linda

Bienvenido al jardín

¿Estás preparado para una aventura? Cuando entres en el reino del *Tarot de las hadas* explorarás su mundo encantado. ¿Qué tipo de viaje crees que experimentarás?

Imagínate en un jardín olvidado. Las plantas son muy grandes y sin podar; sin embargo, encierra una gran belleza y sientes deseos de explorarlo. Observas una explosión de color por aquí y unas formas intrigantes por allá. Una suave hoja te pide que la toques. Tu atención es captada por un fuerte perfume de flores. Percibes un sonido suave, tal vez se trata de una abeja que pasea de flor en flor. Te resulta difícil decidir hacia dónde debes dirigir tu atención y caminas hacia una zona repleta de flores color púrpura. Al acercarte, descubres un sendero parcialmente oculto por la vegetación. Cuando lo observas entre las hojas y las ramas te llega el reflejo de un rayo de luz. Intentas ver de qué se trata: al parecer es un pajarillo que agita sus alas al viento. Pero no se parece a ningún pájaro que hayas visto antes. La riqueza de sus colores y la gracia de sus movimientos son demasiado mágicos para tratarse de un ave. ¿Qué podría ser?

Las hadas del *Tarot de las hadas* te ayudarán a encontrar el camino en este jardín. En realidad el jardín es tu vida, y el tarot te ayudará a encontrar tu camino. Puedes utilizarlo para explorar las posibilidades que tienes ante ti a fin de tomar la mejor decisión posible en cada momento. Si tomas las mejores decisiones, crearás para ti la vida que deseas vivir. Siempre hallarás un modo de cumplir tus deseos más íntimos. Podrás descubrir cómo hacer tu sueño realidad. En el camino encontrarás también cosas acerca de ti mismo. Descubrirás cuáles son tus puntos fuertes y cómo usarlos. Y verás tus debilidades como una parte de ti mismo; te fijarás también tu comportamiento y tus formas de pensar que no te gustan y que quisieras cambiar. Al identificarlas, podrás deshacerte de ellas y con esto transformarte. Podrás también, si lo deseas, afrontar tus miedos y lograr el valor necesario para vencerlos.

¿Crees que todo esto es mucho pedir a un mazo de cartas, por bellas que sean? En realidad no lo es. El tarot ha sido usado durante siglos como un medio de autodescubrimiento, y ha ayudado a muchos buscadores a descubrir aquello que deseaban.

Este libro será como un mapa que te ayudará a navegar y a usar los elementos contenidos en el *Tarot de las hadas*. Primero verás qué es el tarot y después por qué éste es especial. Después te presentaré todas las cartas. Y finalmente aprenderás a hacer lecturas para ti mismo.

El jardín de las hadas es, en verdad, un lugar maravilloso. Explóralo para hallar la magia y lo maravilloso que hay en ti mismo y en tu vida. Que cada paso que des en tu viaje esté realmente encantado.

Capítulo 1

¿Por qué el Tarot?

El tarot se ha utilizado mucho para predecir el futuro, pero éste no es el mejor uso que puede darse a las cartas, ya que el porvenir no está grabado en la piedra, y cada uno de nosotros tenemos el poder de crear nuestra propia fortuna. Puedes usar el tarot para ver qué ocurrió en el pasado que afecta a tu presente. Puedes también ver qué está sucediendo en la actualidad que tú debas saber. Y ciertamente, también es posible ver lo que te aguarda en un probable futuro, pero debes tener en cuenta que ese futuro se rehace en cada momento que va pasando. En cada uno de esos momentos puedes tomar decisiones que lo cambiarán.

¿Por qué es tan efectivo el tarot? ¿Qué lo diferencia de otros mazos de cartas? El tarot no es una serie caprichosa de imágenes bonitas y nombres raros. Se trata de un conjunto cuidadosamente diseñado que cubre todos los aspectos de la experiencia humana, desde sucesos importantes, como terminar los estudios, hasta hechos de cada día, como discutir con un ser querido. Puede también mostrar rasgos de tu propia personalidad o de la de otras personas que tienen relación contigo.

¿Y cómo hace todo eso? El mazo del tarot se compone de setenta y ocho cartas divididas en tres grupos principales: los Arcanos Mayores, los Arcanos Menores y las Figuras de la Corte. Cada uno de estos tres grupos cubre un aspecto diferente de la vida. La palabra *arcano* significa "misterioso" o "secreto".

Las veintidós cartas que forman los Arcanos Mayores están identificadas por un nombre (como el Mago, la Emperatriz, la Muerte o el Sol) y un número romano. Las imágenes de los Arcanos Mayores nos muestran los sucesos más importantes de la vida. Son como hitos que definen dónde estás en tu camino. Puedes también usarlos para ver qué puede ocurrir cuando te enfrentes a uno de esos sucesos.

Los Arcanos Menores son cuarenta cartas, divididas en cuatro palos: bastos, copas, espadas y oros o pentáculos. Cada uno de los palos posee diez cartas numeradas del uno al diez. Los Arcanos Menores muestran hechos y situaciones de la vida diaria. Cada uno de los palos se centra en un aspecto diferente, como el trabajo, las emociones, los problemas y el dinero. Aunque carecen del esplendor de los Arcanos Mayores, los Menores se refieren a la mayor parte de nuestra vida. No caigas en el error muy común de pensar que son cartas de segunda clase.

Las figuras de la corte son dieciséis cartas. En cada uno de los palos tenemos el rey, la reina, el caballero y el paje. Estas cartas representan a las diferentes personas que aparecen en nuestras vidas y a los diferentes aspectos de nuestra propia personalidad.

El tarot, a causa de su especial diseño, define todos los aspectos de la experiencia humana de una forma extraordinaria. El tarot es más que palabras, más que nombres de cartas, y más que las interpretaciones que clara y cómodamente definen a dichas experiencias, pues la vida usualmente no suele ser clara ni cómoda. Las palabras nos dan un marco y una comprensión básica; sin embargo, las imágenes de las cartas son lo esencial. Al mirarlas es cuando tiene lugar la magia.

Es frecuente que cuando pensamos que no sabemos qué hacer, en realidad sí lo sabemos, pero el miedo, la lógica o las creencias de los demás interfieren en nuestro camino. El tarot te puede ayudar a superar esos obstáculos y a hallar las respuestas que buscas en tu propio corazón. Para lograr dichas respuestas necesitas un puente, un puente a través del cual tu corazón pueda comunicarse con tu mente. A veces a ese puente se lo llama imaginación. Las imágenes del tarot crean una conexión entre tu mente consciente y tu ser interno, crean un espacio en el que puedes tener acceso a las respuestas que residen en tu corazón. Al introducirte en este reino, podrás ver cosas que normalmente están ocultas. Posibilidades y respuestas que antes se te escapaban, ahora estarán a tu alcance.

Los nombres de las cartas, y la estructura y las secciones del mazo de cartas del tarot son racionales y siguen un orden. Siguen el idioma de tu mente consciente y hacen que dicha mente se sienta más cómoda. Las imágenes siguen el lenguaje de tu ser interno. Al poner juntas las palabras y las imágenes tienes el tarot, un puente perfecto entre la mente y el corazón. Al hacer una lectura e interpretar las cartas deberás recordar que la finalidad de las palabras contenidas en este libro es ayudarte, aunque no poseen todas las respuestas. Para captar la totalidad deberás contemplar cuidadosamente las imágenes y dejar que tu mente juegue con ellas. Observa qué es lo que te viene. Los pensamientos y las sensaciones desencadenados por ellas pueden muy bien tener para ti un significado mayor que las palabras contenidas en este libro.

Cualquier tarot es sorprendente, pero al añadirle las hadas ocurre algo distinto y mucho más poderoso, especialmente si se trata de las hadas que viven el mundo creado por Linda Ravenscroft. Tanto en estilo como en esencia, sus hadas son intensamente hermosas y encarnan no sólo un puente, sino un verdadero jardín donde la imaginación puede jugar. El trabajo de Linda nos invita a explorar las profundidades del jardín encantado y a relacionarnos con los seres que viven en él. Más que invitarnos nos impulsa. Es como un portal luminoso a través del cual penetramos en otro mundo en el que nos abrimos a todas las posibilidades.

Pero lo que diferencia al *Tarot de las hadas* de los demás tarots no es sólo su estilo y su belleza artística, sino también su esencia. Según las palabras de la artista: "Estoy convencida de que todos tenemos la magia de las hadas en nuestro corazón y que esa magia nos puede ayudar a tomar las decisiones correctas. Espero que mis imágenes te ayuden a detenerte y a pensar, y al mismo tiempo a hallar cierto confort y esperanza en tu vida diaria. Para mí las hadas van siempre de la mano con la naturaleza, son las guardianas de este mundo. Las imágenes que trato de retratar son las de unos seres sabios, amables y orgullosos, estrechamente emparentados con la naturaleza".

El *Tarot de las hadas* está habitado por dichos seres del mundo natural. Estamos separados de ellos por lo que nos hace humanos: nuestra autoconciencia; sin embargo, nuestro corazón está deseoso de conectarse y de vivir en equilibrio con la naturaleza. En un nivel psicológico y espiritual, el deseo que nos mueve es el de sentirnos conectados con el universo. Nuestras creencias religiosas, así como los mitos y las leyendas, nos hablan todos de dicho deseo.

Sin embargo, no es posible conectarnos totalmente con la naturaleza como lo hacen las hadas, pero sí podemos lograr un equilibrio y fluir con el universo. En los momentos en que nos sentimos seguros y tenemos confianza en nuestras decisiones, cuando sabemos que estamos siguiendo los dictados de nuestro corazón, es cuando nuestra relación con el universo y con la naturaleza se torna equilibrada. Cuando dudamos, nos sentimos inseguros o confusos, significa que hemos perdido dicho equilibrio.

Quienes tienen una fuerte conexión con la naturaleza toman decisiones sanas y equilibradas, y así contribuyen a la salud y al equilibrio del universo. Como guardianas del mundo natural, las hadas se complacen en ayudarnos a lograr una relación adecuada con nosotros mismos, con los demás y con el mundo en general.

Tal vez al barajar las cartas desees pasearte espontáneamente por el jardín de las hadas. Sin embargo, cuando uses este tarot debes saber que nada ocurre por casualidad: las hadas te guiarán por el sendero correcto.

Linda ha creado una herramienta extraordinariamente bella y eficaz que te ayudará en tu búsqueda y hará todavía mucho más. Y ahora, vamos a visitar el jardín encantado para ver qué aventuras nos esperan.

Capítulo 2

Los Arcanos Mayores

Vas a entrar en el mundo encantado de las hadas. Esta parte del jardín es donde se hallan los Arcanos Mayores. Aquí explorarás los grandes secretos y misterios de tu vida.

Algunas de las figuras que representan a los arquetipos son masculinas, otras femeninas. Esto no significa que las cartas simbolicen concretamente a un hombre o a una mujer, aunque podría ser así. Ten en cuenta que estas cartas suelen reflejar la energía masculina o femenina, y que todos nosotros, hombres y mujeres, expresamos en nuestras vidas ambos tipos de energía.

El Loco

Esta hada infantil, vestida con andrajos y de mirada traviesa, vive entre flores blancas, indicadoras de su inocencia. Pero no dejes que te engañe, pues inocencia no significa falta de sabiduría. Desde siempre se ha considerado que los locos dicen verdades que otros no se atreverían a expresar.

Cuando nos hallamos en esta parte del jardín, encontramos respuestas que van más allá del conocimiento de la sociedad, respuestas que pueden ir en contra de lo que un ser adulto normalmente aconsejaría. La opción mostrada puede parecer alocada; sin embargo, vale la pena tenerla en cuenta.

Esta hada, o gnomo, está jugando con pompas de jabón, esferas delicadas que pueden estallar si son indebidamente manipuladas. Aunque las lanza sin miedo a romperlas, para nosotros los humanos representan un breve momento de maravillosas posibilidades. Nos hallamos en un lugar donde muchas cosas, tal vez todas, son posibles. Las esferas flotan ligeramente al viento, y en cualquier momento pueden salir en una dirección inesperada. Esta tendencia a lo impredecible hace que nos asustemos un poco. Pero como tales oportunidades no van a durar mucho, debemos tener fe en nuestra intuición, tomar un camino y seguirlo con el corazón contento.

Cada vez que se mueve, los cascabeles de su sombrero crean un sonido juguetón y feliz. El hada —o gnomo— disfruta de sus notas sin distraerse. Nosotros, sin embargo, debemos ser cuidadosos y recordar que cualquier tocado, gorros o sombreros, es siempre simbólico. Al cubrir la cabeza, normalmente representan el pensamiento consciente. Aunque este ser vive en la parte feliz del jardín, donde existen todas las posibilidades, los cascabeles son parte de la experiencia. Para nosotros son un aviso para que estemos atentos a todo. Si lo analizamos todo con exceso, podemos caer en el miedo, podríamos preocuparnos demasiado y perdernos así la oportunidad mágica, que rápidamente desaparecerá.

El mensaje

En el jardín del Loco te rodean posibilidades mágicas, pero se desvanecerán en cuanto te distraigas analizándolas. No es momento de hacer una lista con los pros y los contras, sino más bien es tiempo de entregarte con fe infantil a las añoranzas de tu corazón y de seguir el sendero de tus sueños.

El Mago

Este confiado ser se rodea de una extraña mezcolanza de objetos mágicos y mundanos. Sobre el altar ceremonial tiene una espada, una copa de agua y algunos pentáculos, todos ellos antiguos símbolos místicos de los elementos que forman el universo. En la mano mantiene una varita, que es el cuarto elemento. Las cartas de jugar representan también a los cuatro palos de los Arcanos Menores, pero con una apariencia más corriente. La correspondencia es la siguiente:

Bastos = tréboles
Copas = corazones
Espadas = picas
Oros = rombos o diamantes

Tanto un mago teatral como un charlatán callejero o un mago mítico como Merlín, todos usan trucos, y éste no es la excepción. Él comprende el concepto mágico de "como arriba, así es abajo". Esto significa que todas las cosas del nivel universal tienen su reflejo en un nivel mundano. También significa que, tal como piensas, así eres. Con nuestros pensamientos creamos nuestras experiencias. Mientras que el Loco tenía que ver con no pensar, el Mago tiene que ver completamente con el pensamiento.

Nuestro mago sabe cómo quiere que sean las cosas y por eso baraja las cartas sabiendo que saldrán del modo que él quiere. Su talento y su habilidad son asombrosos. Este mago, que es además un gnomo, puede barajar y decidir con confianza que lo que él crea va a estar en equilibrio con el universo. Nosotros, seres humanos, debemos sin embargo ser muy cuidadosos. Debemos ser conscientes de que aunque poseemos mucho poder, hemos de tener siempre en cuenta las consecuencias de nuestros actos. El gnomo-mago lo sabe y su indumentaria lo refleja. El color marrón es mundano; representa a las materias primas de la vida. Sobre sus hombros vemos una capa azul y roja, que indica el pensamiento y la intención. Esto le recuerda, y nos recuerda a nosotros, que la responsabilidad de nuestros actos descansa siempre sobre nuestros hombros.

El mensaje

En esta parte del jardín se te recuerda que tienes más control sobre tu vida del que en estos momentos crees y sientes.

Esto es algo maravilloso, pero ten en cuenta que los seres humanos con frecuencia somos descuidados, cortos de miras e inclinados a no pensar. Todo cuanto hagas tendrá consecuencias, en ocasiones de largo alcance, y otras veces mucho más peligrosas de lo que puedes imaginar. Al igual que el Mago, tienes poder y capacidad. Úsalos bien.

La Sacerdotisa

Con una serenidad perfecta, esta hada-chamán se ha conectado a todos los niveles con aquello que valora sobre todas las cosas. Como base, ha elegido una piedra procedente del cuerpo de la tierra, tallada en espirales que representan la naturaleza cíclica de la vida. Para dirigir sus pensamientos ha seleccionado un tocado que representa al orbe de la tierra y que contiene plumas que simbolizan los pájaros, que como se sabe, imparten conocimientos secretos a aquellos que quieren oírlos.

Los chamanes humanos pueden adoptar la forma de diversos animales. Sin embargo, el hada-chamán se conecta con el mundo natural de una forma mucho más profunda. Una parte de sus alas se ha convertido en enredaderas que la conectan con lo que más ama, con la tierra. Lleva un vestido verde con ribetes como los nervios de las hojas, como si quisiera, de ser posible, convertirse ella misma en una planta a fin de conectarse mejor con la tierra. Las manos tienen que ver con la manifestación; por eso mantiene entre las suyas otro globo terráqueo, a modo de un gran tesoro.

Vive bajo un inmenso roble. Tanto en la mitología humana como en la de las hadas, los robles están relacionados con la fuerza universal y simbolizan una estrecha conexión con la divinidad.

El mensaje

Si te hallas en esta parte del jardín, tu tarea está clara: debes averiguar qué es lo que más valoras en el mundo. El conocimiento que buscas existe en ese valor, independientemente de cualquier otra circunstancia. Cualquiera que sea la expresión de dicho valor —ya se trate de un sistema de creencias religioso o espiritual, familia u otros medios—, sumérgete en él. Conéctate con él de cualquier forma posible. Crea un espacio sagrado, como ha hecho la Sacerdotisa, y permanece allí hasta que halles la paz y la serenidad perfectas. En ese lugar y en ese momento, oirás —en el caso de que quieras oír— la respuesta que buscas.

La Emperatriz

Si te encuentras con la Emperatriz, eso significa que probablemente has paseado por la parte más frondosa del jardín de las hadas. Esta hada es la madre arquetípica, llena de energía y de amor por todo aquello que es una delicia para los sentidos.

Está sentada sobre una amapola roja, rodeada de felices margaritas. Todo en su jardín es belleza y diversidad. Aunque ciertamente ella lo ama todo, en su corazón tiene una especial predilección por el inicio de la vida, por lo que es natural que esté embarazada. A pesar de los llamativos colores y de las formas extraordinarias que la rodean, su atención está centrada en las sencillas y austeras espigas de trigo, pues aquí, en lo que podría parecer el final de una vida, está oculto el principio de la propia vida, las semillas de un futuro campo de trigo.

Pese a toda su sensualidad, está vestida de morado, el color de la sabiduría espiritual. Para cuidar y hacer crecer a los seres vivos, necesita un conocimiento de orden superior. Este conocimiento que ella encarna puede parecer sencillo, pero es increíblemente difícil de practicar, en especial para los seres humanos. Su cabeza está cubierta con pequeñas flores de color púrpura y algunas delicadas plumas. A todo lo que ella cuida le da conocimiento suficiente para lograr un comienzo fuerte y belleza suficiente para que pueda superar cualquier obstáculo. No da más, pues conoce la diferencia entre cuidar y controlar. Sabe que se crece mejor de acuerdo con la propia naturaleza de cada uno.

El mensaje

Te hallas ante una respuesta clara y retadora. Estás en la posición de cuidar algo o a alguien. Debes dar de ti suficiente para mantener la vida, pero no tanto como para sofocar la personalidad de esa persona, proyecto, relación o situación que se te ha confiado.

El Emperador

Quienes se encuentren con el Emperador tal vez podrían pensar que es el más infeliz de todo el reino de las hadas. Su jardín, al contrario que la mayoría de los demás, es más árido y su trono de piedra está tallado con más ornamentos. Además, calza zapatos, lo cual no es muy común en el mundo de las hadas y los gnomos. Estamos en lo cierto al asumir que se ha ofrecido voluntario para representar a un arquetipo humano que no corresponde al mundo de las hadas.

El papel de emperador trae consigo muchas responsabilidades. Su manto largo de color púrpura con bordes dorados nos muestra que sobre sus hombros descansa el bienestar de muchos. Sobre el escudo vemos un águila estilizada, lo cual nos indica que está encargado de proteger y mantener el sistema legal o de valores humano. Sus zapatos representan las convenciones sociales.

Está tocado con unos cuernos de carnero, pues él dirige y protege con fuerte voluntad. Las hojas de roble sobre su cabeza nos indican que, aunque sostiene las instituciones humanas, trata de incorporar la sabiduría universal y atemporal a todos sus actos y a todas sus decisiones. Los seres humanos creemos que nuestros mejores sistemas educativos, legales, religiosos, sociales y de gobierno están basados en una verdad superior y sirven al bien común, creando así un orden en el que todos podemos vivir una vida plena y en paz.

Ésta es la clave para crear y practicar las convenciones humanas. Nos recuerda que debemos contrastar nuestras leyes y nuestras creencias para asegurarnos de que están alineadas con lo mejor, no sólo para nosotros, sino también para la totalidad del planeta. Somos responsables de nuestro bienestar, pero también del bienestar de la tierra y de todos sus habitantes.

El mensaje

Cuando te halles en el jardín del Emperador debes tener en cuenta las instituciones que pueden encontrarse tras la situación o la pregunta de que se trate. ¿Te están dirigiendo de un modo que es respetuoso hacia los demás y hacia el futuro del planeta? ¿Hay alguna manera en que tú puedas cambiar las instituciones para que estén más alineadas con el equilibrio universal? ¿Cómo deberías actuar para lograr un mayor bien común?

El Sacerdote

Al igual que ocurría con la Sacerdotisa, este ser es un chamán. Como ella, se conecta con la tierra al más profundo nivel, llevando un atuendo semejante, sentándose en un antiguo trono de piedra y dejando que sus alas se conviertan en ramas para conectarse mejor con la tierra.

Sin embargo, hay entre ambos una diferencia significativa. Ella tiene los ojos cerrados, está centrada en su interior, escucha tranquilamente la sabiduría de los pájaros y nos dice que miremos hacia dentro para hallar nuestra verdad y nuestro centro. En este sentido, representa al chamanismo encarnado como energía femenina.

Por su parte, el Sacerdote nos muestra una variante más masculina del chamanismo. Con los ojos abiertos, observa el mundo a través de los ojos de su conocimiento. Mantiene el globo con una mano mientras que el gesto que realiza con la otra nos indica un deseo de manifestar cambios en el mundo. Su tocado incluye ramas que apuntan hacia fuera, al contrario que la sabiduría volcada hacia dentro, como ocurría con la Sacerdotisa. Él está enraizado en la tierra y deja que su sabiduría crezca hacia fuera.

La Sacerdotisa posee una sabiduría interna que es lo que conocemos como intuición, un modo de saber que no siempre podemos explicar. El interés del Sacerdote es formalizar la sabiduría antigua de modo que pueda ser expresada y compartida con los demás de un modo fácil. En términos humanos, representa tanto la totalidad del conocimiento humano como el modo en que transmitimos ese conocimiento a las generaciones futuras, es decir, es un maestro.

El mensaje

Si estás en el jardín del Sacerdote, prepárate a aprender algo. La respuesta la hallarás dedicándote a algún tipo de estudio. Tal vez debas aumentar tus conocimientos formales, continuar con los estudios, profundizar en lo espiritual o aprender nuevas ideas o técnicas. Sea lo que fuere, requerirá trabajo y compromiso por tu parte. El conocimiento que buscas está disponible, pero deberás hallar el maestro adecuado... O tal vez ha llegado el momento en que te conviertas tú mismo en maestro de otros.

Los Amantes

Estos dos apasionados seres feéricos están uno en brazos del otro; así hallan la paz y un sentido de plenitud. Representan la hermosa y exquisita unión de la naturaleza femenina con la masculina. Tradicionalmente se ha considerado que la energía femenina está basada en el corazón; por eso la figura masculina posa suavemente la cabeza sobre el corazón de la femenina. La energía masculina se dice que reside en la mente, y por ese motivo el hada abraza la cabeza de él. Conscientes de sus propias debilidades y de los puntos fuertes del otro, ambos se unen en completo amor y equilibrio.

Esta pareja vive entre manzanos, que mágicamente muestran al mismo tiempo flores y frutos. Al estar juntos crean una energía que genera vida continua: fruto para el momento actual y la promesa de fruto para el mañana.

Esta imagen no es tan sencilla como podría parecer a primera vista. Tampoco necesariamente trata del amor. Más bien tiene que ver con traer magia y poder a nuestras vidas. Desde siempre las manzanas han representado la necesidad de realizar una elección. Aunque la Biblia no dice específicamente que el Árbol del Conocimiento del Bien y del Mal fuese un manzano, generalmente ha sido representado así. Si te hallas en esta parte del jardín, probablemente tendrás que realizar una elección. ¿Qué tomarás, el fruto o la flor? Ambos son deseables. ¿Será que uno es magia real mientras que el otro se trata de tan sólo apariencia?

El mensaje

La pista que esta pareja nos da es la siguiente: no elijas precipitadamente y no te decidas siempre por lo que primero vean tus ojos. Tómate el tiempo necesario. Considera tus puntos fuertes y tus debilidades. Imagina tu vida con una de las opciones y luego con la otra. ¿Cuál parece más adecuada para darte equilibrio? Independientemente de lo que pienses traer a tu vida, ten siempre en cuenta que deberás buscar el equilibrio. Y una vez realizada la elección, aférrate a ella con pasión. La magia y la belleza vendrán entonces a ti.

El Carro

Paseando por el jardín de las hadas, tal vez desde el cielo te llame la atención algo. Al mirar hacia arriba, verás entonces un hada que parece muy segura de sí misma, conduciendo un extraño y hermoso vehículo tirado por dos animales híbridos.

El hada conductora del carro nos ilustra un sorprendente logro. Los dos animales, uno blanco y otro negro, representan ideas, situaciones o asuntos opuestos. En lugar de tirar cada uno hacia su lado, el hada los controla a ambos, al parecer sin gran esfuerzo. Los animales parecen luchar un poco, como si no estuvieran acostumbrados a ser manejados de este modo. Sin embargo, ella se mantiene firme y en pie, sin miedo y dirigiendo perfectamente el carro.

Su tocado muestra su voluntad, formada por su conexión con la tierra y con la sabiduría de las criaturas del aire. Parece que pequeñas esferas se desprenden de su tocado, como una especie de polvo mágico. Su efecto es realmente mágico, pues le permite controlar a ambos animales. Esta misma magia está también a nuestra disposición, en forma de voluntad. Cuando nos levantemos sobre el caos que nos rodea veremos un cuadro más brillante y podremos identificar aquello que necesita de nuestra atención. Una vez veamos a nuestros híbridos animales metafóricos, podremos controlarlos en lugar de sentirnos víctimas de las circunstancias.

El mensaje

El hada del Carro nos recuerda que demos un paso atrás y seamos conscientes de aquello que está causando nuestra presente situación. Tal vez descubras que hay dos fuerzas opuestas que parecen tirar de ti. Es el momento de elegirlas a las dos, en lugar de decantarse por una u otra. La clave reside en encontrar la forma de convencer a ambas fuerzas para que vayan en una dirección única. Puede parecer imposible, pero si el carro se cruza en tu camino debes saber que eso no sólo es posible, sino que además redundará en tu propio beneficio.

La Fuerza

En nuestro viaje por el jardín de las hadas tal vez lleguemos a un grupo de árboles donde descubriremos a un hada de cautivadora belleza: es la Fuerza, con su dragón. Normalmente los dragones son motivo de alarma, pero en este caso no debemos preocuparnos. La Fuerza lo tiene todo bajo control.

Los dragones son elementales antiguos y representan el gran poder y peligro del núcleo de la propia tierra. Sin embargo, desde lejos, al volar, son elegantes y graciosos. Como amantes de la tierra que son, las hadas sienten atracción hacia los dragones, a pesar del peligro que ello implica, pues no todas las hadas pueden controlarlos. Las habilidades del dragón unidas a la sabiduría del hada generan una fuerza formidable. Pero antes de que un hada pueda unirse con un dragón, deberá entenderlo. Dado que el hada está tan profundamente conectada a la tierra, para ellas los dragones representan a su ser más primitivo, como cuando los humanos hablan de su naturaleza "animal". Por eso, no es difícil para un hada entender a un dragón, simplemente necesita examinar sus motivaciones y sus impulsos más primitivos. Esta hada lo ha hecho y ha descubierto que no todos los deseos básicos son malos. Más bien son fuentes neutrales de poder, que deben ser canalizadas. Así, nuestra hada de la Fuerza no oculta su admiración y su conexión con su compañero dragón. En lugar de ello, orgullosamente se adorna a sí misma con símbolos de la fuerza y del poder que ha logrado a través de esta relación.

El mensaje

Si llegas a este punto del jardín al caer la noche y no estás seguro de qué debes hacer, la Fuerza te recordará que tienes que comprender a tu dragón interior. Reconéctate con esa parte de ti mismo que está en relación con los profundos poderes de la tierra. Halla el centro fundido que prenderá fuego a tu voluntad. Luego infúndele sabiduría a fin de que puedas usar tu fuerza con gracia, elegancia y precisión.

El Ermitaño

Si paseando por el jardín de las hadas llegamos a un círculo de hongos, estaremos ante un abandonado círculo-anillo de hadas. Haremos bien en mirar de cerca, a fin de descubrir si realmente está abandonado o si el Ermitaño se halla en él observándonos tranquilamente desde las sombras.

Aunque por naturaleza es solitario, no rehúye totalmente la compañía de sus semejantes, ni siquiera la de los humanos. A pesar de su graciosa apariencia, este gnomo está llevando a cabo una búsqueda importante: la del autoconocimiento. Su bastón representa la voluntad. Su humilde indumentaria está decorada con dos botones de color rojo brillante, que simboliza su deseo de hallar lo que está buscando. La lámpara que lleva contiene todo el conocimiento que ha adquirido hasta ahora. A veces la utiliza para ayudar a que otros que podrían seguir el mismo camino que él no se extravíen. Suele visitar los círculos-anillos de hadas vacíos, pues siente la energía que queda en un lugar cuando los de su especie lo han abandonado. Tranquilo y solo, examina el conocimiento y la sabiduría que ellos han dejado atrás. El Ermitaño prefiere realizar todo esto solo, ya que así puede comparar las creencias sociales y colectivas con aquellas que él posee en su corazón.

Aunque está siempre buscando, su búsqueda es distinta de las demás, pues no espera un final a ella. Se trata de una búsqueda de toda una vida. Con cada paso y cada experiencia su comprensión va cambiando. Fíjate en su sombrero desgarrado y burdamente cosido. Lo que él cree y piensa debe ser compuesto y arreglado cada vez que incorpora nuevos conocimientos.

El mensaje

El Ermitaño quiere que tomes todo lo que crees que sabes y pases algún tiempo solo con eso. Compáralo con la sabiduría de tu corazón y con tus experiencias presentes. Te reta a que mantengas tus creencias sabiendo que tu comprensión variará constantemente. Deberás abandonar lo que no funciona, mantener aquello que sí lo hace y recrear continuamente tu propio sistema de creencias.

La Rueda de la Fortuna

Tal vez al llegar frente a la Rueda de la Fortuna te sorprenda el velo rosado que cubre al hada encargada de protegerla. Aunque más que protegerla parece que está jugando con ella. Sin duda esta imagen incongruente tiene un mensaje que darnos.

La propia rueda está adornada con símbolos astrológicos que indican el giro del año solar. El tiempo de las hadas corre diferente al nuestro, de modo que todo esto no debemos interpretarlo demasiado literalmente. Muestra los círculos de la vida, que no siempre corren a la misma velocidad. A veces las fases de nuestras vidas transcurren lentamente y otras con gran rapidez. Con frecuencia los seres humanos solemos decir que la existencia tiene ciclos con altos y bajos —refiriéndonos a los tiempos buenos o malos—. Sin embargo, esta rueda no muestra nada bueno ni malo, sólo fases diferentes, cada una con sus propios más y menos.

La Rueda de la Fortuna no tiene mucho que ver con lo que nos ocurre a nosotros; esto está ilustrado en otras cartas del tarot. Más bien está relacionada con nuestra actitud hacia las vicisitudes de la vida, hacia los sucesos que nos contrastan y nos ayudan a aprender y a crecer. A veces acontecimientos difíciles (como los representados por la Torre o la Muerte) son necesarios a fin de traer cosas mejores a nuestra vida (como las encarnadas por la Sacerdotisa o la Estrella).

¿Y la feliz hada vestida de rosa? Ella explora y valora toda experiencia, buscando las alegrías, los regalos y las lecciones que debemos aprender. Si estamos centrados y comprometidos con el crecimiento espiritual, podremos, al afrontar nuestras propias vidas, hacerlo con su magia infantil.

El mensaje

La respuesta no tiene tanto que ver con lo que te está ocurriendo en este momento como con la forma en que lo afrontas. Considera que todo obstáculo es una oportunidad. Cuando experimentes tristeza, busca la lección espiritual que esa situación te trae. Recuerda expresar gratitud en los momentos de alegría. Cuanto más aprendas a hacer esto, menos traumáticamente te afectarán las diversas vueltas de la rueda.

La Justicia

El hada de la Justicia vive en una mata de muérdago. Aunque parece muy amable y comedida, representa una magia increíblemente poderosa, profundamente relacionada con el corazón del universo.

Su asiento de roca indica su enraizamiento con la tierra; sin embargo, está sentada sobre un cojín decorado con espirales, que representan los ciclos de la vida, tal como la vivimos los humanos. Su poder es un resultado directo de nuestras acciones individuales. Un nombre que se da a ese poder es la palabra karma, o la justicia del universo. Es el más perfecto y poético de todos los sistemas de justicia. El hada mantiene en sus manos la balanza que pesa nuestros actos y la espada que otorga el premio, cualquiera que éste sea. Su visión está cubierta, por lo que no puede herirnos o beneficiarnos caprichosamente. Tan sólo recibimos aquello que merecemos.

De todas las cartas del *Tarot de las hadas*, ésta es la que con más claridad nos transmite el mensaje que el mundo de las hadas tiene para nosotros: aquello que haces hoy crea lo que experimentarás mañana. Es un mensaje que ya hemos oído muchas veces y de muchas formas distintas. Todas las religiones y sistemas espirituales lo expresan, y nuestros sistemas legales tratan de imponerlo, al mismo tiempo que nuestros dichos de cada día nos lo recuerdan una y otra vez.

El mensaje

Esta hada quiere que entiendas tu poder y tu responsabilidad. Si te preguntas por qué te hallas ante una situación determinada, mira hacia tus acciones pasadas. Cuando veas qué es lo que te trajo al lugar donde te encuentras, tal vez puedas hallar una forma de equilibrar tu karma. Si debes decidir cómo comportarte en una situación dada, considera las futuras ramificaciones. Elige tus actos con sabiduría y cuidado, pues lo que siembres hoy lo recogerás mañana.

El Hada Colgada

Tal vez caminando entre las flores blancas oigas una suave risa. Si sigues un poco más allá, pronto verás a una joven hada que alegremente se columpia colgada de unas lianas.

Las esferas nos recuerdan al Loco, y de hecho existen muchas similitudes entre ambos, aunque las diferencias son también significativas. Ambos seres tienen que ver con el hecho de seguir el propio camino, aunque los demás no lo entiendan. El miedo que los seres humanos tenemos a seguir las transparentes esferas por el jardín del Loco es que no sabemos adónde nos van a llevar.

Una vez tenemos el valor para seguirlas, es posible que nos encontremos frente al reto del jardín del Hada Colgada. De nuevo, deberemos tomar una decisión, tal vez generando la desaprobación de los demás. Éste es un sacrificio que nos exige el hecho de permanecer firmes en nuestras creencias.

Y si esta hada tiene que ver con mantenernos firmes en nuestras creencias, ¿por qué se balancea de un lado a otro? Debemos seguir los dictados de nuestro corazón, aunque tal vez al tomar una decisión concreta, quizás pongamos nuestro mundo cabeza abajo. Es posible que con dicha decisión perdamos algo que valoramos, por ejemplo la aprobación de nuestros amigos o tal vez la seguridad.

Sin embargo, fíjate en la actitud del hada. Está relajada y confiada. Sabe que sus creencias, representadas por las lianas, no van a fallarle. Se ríe suavemente, con un placer secreto. Sabe que puede parecer tonta, pero en este momento no hay otra cosa que pueda hacer.

El mensaje

En el jardín del Hada Colgada la respuesta tiene que ver con el sacrificio y la fe. Se te pedirá que sacrifiques algo que aprecias. Debes tener fe en tus convicciones y saber que, al final, todo saldrá bien. Aunque al principio te puede dar miedo, una vez que lo hagas sentirás una felicidad relajada y sabrás que has hecho exactamente lo que debías hacer.

La Muerte

Estamos ante el pálido rostro del hada del inframundo, con alas de cuervo. Está posada sobre una calavera humana, invitándonos y al mismo tiempo previniéndonos de entrar en su reino. Como el Ermitaño, reside entre hongos. Ya hace mucho que los constructores de los círculos-anillos de las hadas dejaron de existir. Ahora se honra su memoria. Aunque parece estar en la primera etapa de su vida, los cuernos de dragón que surgen de los hombros nos indican su estirpe de dragón, a la vez antigua y elemental.

Su belleza es un resultado de su profundo conocimiento de los secretos de la muerte. A los humanos nos asusta la muerte porque no la conocemos ni sabemos lo que hay más allá de ella. Nos asusta, y al mismo tiempo nos atrae. El hada tiene el conocimiento y la experiencia de la muerte física, pero no puede compartirla totalmente con nosotros. Es algo que todavía no debemos saber. Ella reina sobre todo tipo de muertes, no sólo sobre la que se produce en el reino físico.

Aunque en esta vida tan sólo experimentamos una muerte física, vivimos miles de muertes de otro tipo. La existencia, tal como la conocemos, es un ciclo, y la muerte forma parte de ese ciclo. Unas fases de la vida terminan y otras comienzan. Las relaciones surgen, florecen y a veces mueren. Nuestras creencias cambian y pasan a medida que crecemos espiritualmente. Sabemos que hay muerte y hay nacimiento. Sabemos que donde hay oscuridad hay también luz.

Nuestra experiencia nos ha mostrado que aunque la luz siempre sigue a la oscuridad, continúa siendo difícil vivir en esta última. Así, ésta no es simplemente una bella hada que nos promete que viviremos eternamente felices. No quita importancia al dolor de la muerte en todas sus formas; en lugar de ello nos recuerda que el crecimiento, incluyendo el espiritual, tiene un costo. Afrontarlo y experimentar el nacimiento de una nueva vida requiere valor y fuerza.

El mensaje

La respuesta que hallarás en el jardín del hada de la Muerte es la de la aceptación y la esperanza. Es el momento de aceptar que algo en tu vida está pasando. Partes de esta experiencia son el dolor, la tristeza y una cierta sensación de pérdida. El conocimiento de que a tu vida llegará algo que aliviará ese dolor y esa tristeza debe darte fuerza y esperanza.

La Temperancia

Al llegar ante un grupo de abedules nos encontramos con un panorama de tranquila y exuberante belleza. Aunque parece una contradicción, ésta es la esencia del hada de la Temperancia. Pertenece a la especie del hada conductora del Carro, pero más madura y experimentada. Date cuenta de que su tocado es pequeño y sencillo, pues su poder no es tanto de la mente como de la totalidad de su ser. Como los abedules que la rodean, se mece graciosamente con los vientos del destino, pero no se quiebra ante sus embates.

Está sólidamente sentada sobre una piedra en la que hay grabada una espiral única. Considera su vida y su papel en ella como una danza larga, simple y elegante. Eternamente está echando agua desde una tinaja a una especie de cuenco. Su elegante fluir de la vida es constante. Cualesquiera que sean las circunstancias, ella es siempre exactamente lo que es. Ese ser siempre lo que es no implica rigidez, sino más bien un fluir constante. Sin pensar, ajusta imperceptiblemente su energía a fin de mantener en cada situación un equilibrio perfecto.

Su hermoso vestido amarillo, al igual que sus alas, expresa su radiante fuerza interna, que surge de su confianza. Afronta lo que le llega con una seguridad expectante, sabiendo que es capaz de manejar cualquier cosa con gracia y belleza. Al contrario que la conductora del Carro, que controla fuerzas opuestas con el poder de su voluntad, la Temperancia las funde en el interior de su propio ser, en un perfecto e impecable equilibrio.

El mensaje

Aunque para los seres humanos es imposible mantener ese estado de ser indefinidamente, el mensaje de la Temperancia es que seas consciente de tus reacciones. Que lo que hagas, pienses o sientas sea apropiado y benéfico para la situación a la cual te estás enfrentando ahora. No aumentes el caos o el drama reaccionando excesivamente. Tu misión ahora es centrarte y hacer lo necesario para traer equilibrio a la situación presente.

El Diablo

Con sus cuernos, sus pezuñas y sus rojas alas, el Diablo merodea por un rincón del jardín que es peligroso para los seres humanos. Aún más que la Muerte, se parece a sus ancestros dragones, pues representa las inclinaciones y los deseos más básicos. El pendiente en su oreja y las bolitas en su barba muestran que ha adornado y alterado dichas energías fundamentales. Las reconoce, las celebra y las controla. Como es un gnomo, está conectado a la tierra, y por lo tanto, en equilibrio con ella, pero de una forma muy precaria. Su naturaleza es danzar en el borde, balanceándose y jugando con los límites.

Los seres humanos estamos tan alejados de nuestro pasado ancestral que con frecuencia no sabemos cómo expresar esa parte de nosotros mismos, tanto en sociedad como en nuestras propias vidas. Por eso normalmente negamos tales deseos. Y a causa de esta represión nuestras inclinaciones instintivas y sensuales surgen en formas que no siempre son buenas para nosotros, para los demás o para el universo.

Otra forma en la que esta desconexión de nuestra naturaleza básica surge es cuando un cierto deseo no sólo exige satisfacción, sino que comienza a controlar a la persona. Esto nos conduce a adicciones, obsesiones y otros patrones malsanos.

El mensaje

Si estás en el jardín del Diablo, la respuesta no será fácil, pero sí te causará miedo. En cierto nivel es posible que a veces te controle, con lo cual no serás tú el que controla tu vida. Identifica qué es lo que te mantiene esclavo, sólo entonces te podrás librar. Y finalmente nuestro travieso gnomo te dirá que no temas a tus deseos. Disfruta aquellos que puedas en forma que sea beneficiosa para ti y para los demás, y no consientas que los destructivos ocupen tu vida.

La Torre

Las hadas y los gnomos tienen una larga vida. Aman a la naturaleza y a todo lo bello. Son artesanos, talentosos y hábiles. Si deciden vivir en una morada, crearán para sí mismos una especie de graciosas líneas siguiendo los diseños de la naturaleza mientras expresan su creencia en la interconexión de todo cuando existe. Al ser tan longevos pueden ver y aceptar mucho más que nosotros, incluyendo la destrucción de cosas maravillosas, ya se trate de un bosque o de una obra de arte. La naturaleza debe purificarse y así mantiene su propio equilibrio. Así, cuando un árbol, un jardín o la morada de un hada es destruida por la naturaleza, ella sabe que todo es para bien.

Para nosotros, ese tipo de destrucción nos rompe el corazón. Nos centramos en todos los trabajos y toda la belleza destruida. Los hongos que señalan el círculo-anillo de las hadas nos recuerdan que allí tuvo lugar un gozoso encuentro social. Fue un lugar muy agradable y placentero que sirvió muy bien a los propósitos para los que fue creado. Nosotros, por lo breve de nuestras vidas, tenemos dificultad para entender por qué una morada tan perfecta debe abandonarse.

Muchos utilizan las cartas del tarot al igual que usan sus sueños. Interpretamos los símbolos a fin de hallar un significado aplicable a nuestras vidas. En los sueños, las casas con frecuencia representan el ser. Por eso, esta imagen, la Torre, nos resulta tan negativa. En un nivel más profundo, simboliza la destrucción de aquello que nos define. Cada uno de nosotros crea un sistema de creencias y una visión del mundo que nos ayuda a navegar por él. Luego, a veces, ocurre algo y *¡plas!* nuestra perfecta visión del mundo queda de pronto destruida.

El mensaje

Si ves las llamas de la Torre, deberás saber que alguna creencia que te es muy querida, y que incluso puede formar parte de aquello que te define, está siendo cuestionada. Estás experimentando o vas a experimentar algo que no encaja con ella, algo que la hará derrumbarse. Dejará ya de ser verdadera para ti. Su destrucción es necesaria a fin de crear una nueva imagen de ti mismo, que a partir de ahora te servirá mucho mejor.

La Estrella

Paseando por los restos del que una vez fue un glorioso bosque, oímos un fluir de agua muy suave, casi como el sonido de la luz de las estrellas jugando sobre la superficie del lago. Siguiendo el sonido, pronto nos hallamos ante esta imagen de paz y tranquila serenidad.

Un hada pálida como la luz de la luna descansa cómodamente sobre un conjunto de rocas claramente incómodas al borde del agua. Parece como si ella misma, al igual que el agua, fluyese sobre las rocas. Envuelta en tonalidades azules, su vestido fluye sobre ella como el agua lo hace sobre la tierra. Sus delicadas alas relucen a la luz de las estrellas.

Esta estrella no es como las estrellas verdaderas, pues no quema y no es orgullosa. Es el agua en su aspecto más curativo. Refresca y renueva; además, trae esperanza. Pero al igual que una estrella, también nos guía. Su poder tiene una profundidad ilimitada, como los eternos caudales de agua que vierte en el estanque y sobre la tierra. Uno de sus pies reposa en el agua, mostrando su conexión con el subconsciente. El otro está en la tierra, pues también se interesa en la mente consciente. Promete paz a aquellos que son conscientes de su cuerpo y de su alma.

El mensaje

Si te hallas frente al estanque de la Estrella, da las gracias. Cualesquiera que sean las dificultades que hayas afrontado, los trabajos que haya soportado tu espíritu y las tristezas que te hayan roto el corazón, la Estrella te anuncia un tiempo de serena paz, un lugar seguro y tranquilo donde podrás refrescarte y hallar esperanza. Una vez te hayas renovado y te sientas más fuerte, ella te servirá como guía para que vuelvas a encontrar tu camino. Pero ahora debes descansar.

La Luna

En la oscuridad y en las sombras, todo parece distinto... Invisible o más grande que la vida, oscuro, o de un brillo extraño. La iluminación del hada de la Luna encanta y seduce a aquellos que mantienen su ingenio, pero puede ser engañosa y peligrosa para quienes sean menos cuidadosos. Rodeada de margaritas, parece tan sencilla y clara como la luz del sol. Pero con el hada de la Luna, no todo es como parece. Aunque puede parecer encantadora o preocupante, en realidad no es ni lo uno ni lo otro. Sus efectos están totalmente basados en la percepción que tenemos de ella.

El lobo que la acompaña nos muestra cómo nuestra naturaleza animal se ve atraída y potenciada por su presencia. De hecho, al igual que los lobos reaccionan cuando la luna está en el cielo nocturno, también lo hace una parte de la psique humana. Actuamos con mayor intuición, tenemos sueños más vívidos y sentimos con más profundidad. Está sentada sobre un bloque de piedra en el cual hay grabado un cangrejo, símbolo un poco extraño para el hada de la Luna. Pero recuerda que las cosas no siempre son como parecen. El cangrejo representa a una criatura que se arrastra fuera del agua —nuestro subconsciente— y, al mismo tiempo, es algo que nos produce miedo.

A la mágica luz de la luna, lobos salvajes y cangrejos monstruosos pueden parecer hermosos, y las sencillas margaritas pueden ser percibidas como amenazantes. Y éste es el peligro: no ver lo que realmente hay. El hada de la Luna no nos concede sueños ni pesadillas, tan sólo ilumina el mundo y nosotros vemos aquello que elegimos ver.

El mensaje

Si te pierdes en la noche del hada de la Luna, la respuesta que hay para ti es tan sombría como la propia luz de la luna. Lo que está claro es que tu subconsciente está revuelto. ¿Qué aparece, tus miedos, tus esperanzas o tus sueños? Pon atención a tu intuición y a tus sueños. Escucha cuidadosamente los mensajes que te lleguen del universo. Ten cuidado y asegúrate de que quieres buscar la verdad. En esta situación corres peligro de ver aquello que deseas ver y de oír lo que quieres oír.

El Sol

Viajando por el jardín del hada del Sol te sentirás de pronto deslumbrado por una fuerte luz naranja. El hada y los girasoles que la rodean son de un color naranja tan intenso que casi te harán reír de alegría. Al contrario que la Luna, esta carta es muy sencilla y las cosas son aquello que parecen ser.

El hada de la Luna y su hijo disfrutan de un momento de alegría y felicidad puras. No hay motivo ni circunstancia, tan sólo una felicidad tan intensa que colorea todo cuanto los rodea, envolviendo este momento en un luminoso brillo.

Este tipo de alegría surge de un sentimiento de conexión y paz con el universo, lo que es muy común en el mundo de las hadas. Sin embargo, para nosotros, los humanos, es una experiencia extraordinaria.

El mensaje

La respuesta que hallarás en el jardín del hada del Sol es un mensaje de felicidad. Puedes esperar un tiempo de alegría, optimismo y maravillosa energía. Realmente es un regalo. Disfrútalo.

El Juicio

Caminando entre los lirios verás un brillo luminoso y oirás, muy suavemente al principio, el sonido de una trompeta. Luego este sonido aumentará su intensidad. Al buscar su origen, tus ojos enfocarán despacio una imagen tan ligera y pálida que apenas podrás creer que existe. Esta delicada hada con su vestido blanco y sus poderosas alas tiene un título muy serio, pues se trata del hada del Juicio.

Su mensaje no es para todos, pues hay quienes ni la ven ni la oyen. Con frecuencia se relaciona a los lirios con la muerte, y usualmente hace falta que alguien se muera, en especial si no pertenece al mundo de las hadas, para verlo y oírlo. Algo en nuestra vida va a suceder, pues somos llamados a vivir algo nuevo.

Aquellos que pueden verla descubren que brilla y reluce con una belleza verdadera y natural. Pero todavía es más sorprendente el sonido de su trompeta. Su mensaje es esencialmente el mismo para todos, aunque a un tiempo es también diferente. Quienes lo oyen son llamados a un nivel de ser más elevado, a hacer algo distinto, a servir al universo y a quienes hay en él de un nuevo modo.

Las fuertes alas del Juicio son símbolos que nos recuerdan que aquellos que escuchemos su llamada seremos llevados a un nivel espiritual más elevado que el que hemos conocido hasta ahora.

El mensaje

Cuando te encuentres con el hada del Juicio, será el momento de observar cuidadosamente tu vida y también las posibilidades que tienes ante ti. Hay algo que deberías hacer, algo que representará un cambio significativo con respecto a lo que estás haciendo ahora. Cualquier cosa que ese algo sea es para el bien del universo y es esencial para tu crecimiento espiritual. Para escuchar con claridad su mensaje, abre tu mente y tu corazón, y simplemente acéptalo.

El Mundo

En medio de un jardín de rosas te encontrarás con esta simbólica escena. Las hadas son las guardianas del jardín y valoran mucho el equilibrio del universo. Para las hadas que hemos hallado en este jardín, la tierra es lo más valioso. La cuidan y la estiman, y lo muestran con una corona, indicando así que sus necesidades reinan sobre sus decisiones y sus actos.

Las hadas de esta imagen llevan coronas de laurel, que se entrelazan con la tierra. Esto es su mayor y más valioso logro. La tierra está en un equilibrio perfecto. Cuando esto ocurre, ellas saben que han cumplido con su más elevada misión y que han realizado todo su potencial.

Cuando aparece el hada del Mundo, se nos recuerda que los seres humanos tenemos muchas formas de realizar nuestro potencial. A lo largo de nuestra vida, experimentamos ciertos logros que nos dan satisfacción y orgullo. A veces son detalles pequeños y cotidianos, como ayudar a alguien en una tarea que lo abruma. Otras veces se trata de hechos mayores, incluso de lo que podríamos llamar hitos, como terminar una carrera o dirigir una organización de caridad. Sea lo que fuere, debemos disfrutar siempre de esa sensación de logro que aparece ante el trabajo bien hecho.

El mensaje

Si estás en el jardín de rosas, has completado o completarás próximamente una tarea importante. Vas a disfrutar del éxito y a recibir las felicitaciones de los demás. Desgraciadamente, este tipo de momentos son muy poco frecuentes, y siempre son el resultado de un esfuerzo por tu parte; por tanto, no los deseches en tu prisa por buscar otros proyectos. Si no has completado nada recientemente, el deseo de esta sensación te está llevando hacia un reto. Escucha a tu corazón, pues es evidente que estás listo para iniciar algo emocionante.

Capítulo 3

Los Arcanos Menores

Las cartas de los Arcanos Menores ilustran tanto las alegrías y la belleza como las tribulaciones y los trabajos de la vida diaria. En toda la historia de la humanidad, se han usado relatos, mitos y leyendas para dar un sentido a la vida y aprender diversas lecciones que nos permitan vivir mejor. El *Tarot de las hadas* honra esa rica y creativa historia contando un cuento en cada palo, un nuevo cuento de hadas que te ayudará a entender mejor el significado de las cartas. Los bastos nos relatan un cuento de espíritu emprendedor y aventura en el que dos hadas viajan en busca de fortuna. El relato muestra los triunfos y los peligros que pueden sobrevenir al emprender cualquier proyecto. En las cartas los bastos se muestran en forma de bastones.

Las copas tejen un tapiz de amor, a la vez trágico e inspirador. A través de los años seguimos los altibajos de una pareja poco común. Las copas son flores mágicas de celidonia.

Las espadas ilustran emotivamente la desesperación de dos jóvenes seres ante lo triste de su destino y los esfuerzos de su reina por salvar a su gente. Están representadas por las espinas de las rosas.

Los oros o pentáculos nos muestran a una industriosa hada cuyo trabajo y planificación experimenta un giro inesperado y cómo el aprovechamiento de una oportunidad favorable genera un beneficio para todos los involucrados. En las cartas, los oros aparecen como pentáculos.

Estos cuentos sirven a dos propósitos: en primer lugar, cada relato nos trae una moraleja desde el mundo de las hadas. Estas moralejas son mensajes especiales que las hadas desean que conozcamos todos los humanos. Ellas creen que si aplicamos esta enseñanza a nuestras vidas en general, profundizaremos nuestra conexión con los demás y con la tierra. En segundo lugar, al utilizar estas cartas para realizar una lectura sobre tu vida, cada una de ellas tiene también un mensaje que estará relacionado con la pregunta efectuada.

Bastos

La gran aventura

As de Bastos

Érase una vez, en una calurosa noche de verano, un clan de hadas reunido para escuchar los cuentos que le relataban los mayores. Dichos relatos versaban sobre lugares distantes y escenas extrañas. Cuando los más viejos se fueron a dormir, algunas de las hadas más jóvenes decidieron que querían viajar y buscar nuevas experiencias, a fin de tener también ellas relatos para contar. La idea de ir en busca de aventuras les encantó, y bailaron con alegría para celebrar lo que habían decidido.

Para traer suerte a su empresa, tallaron un bastón de una rama de roble, para representar su resolución y su fuerza. En el extremo le pusieron un cristal rojo, que parecía poseer en su interior una potente energía, lo cual, según ellas dijeron, mostraba su pasión y su decisión. Finalmente cosieron dos plumas de un ave fantástica alrededor del cristal, a fin de aportar a su empresa sabiduría y fortuna. Una vez hubieron terminado, pusieron el bastón en el centro del círculo creado por sus danzas. Cuando volviesen se sentarían en ese mismo lugar y, rodeadas por su clan, les contarían grandes relatos de sus aventuras. Y así fue.

Muchos años después las hadas llamaron a ese punto el lugar de los principios. Cada vez que un hada deseaba empezar una nueva aventura, se sentaba en el lugar de los principios y allí lo planeaba todo.

El mensaje

Tienes necesidad de empezar algo nuevo. Crea un espacio, ya sea físico o en tu mente, a fin de establecer un plan. Haz inventario. ¿Posees la fuerza, la decisión, el enfoque y la pasión necesarios? ¿Tienes acceso a la sabiduría y a los recursos que vas a necesitar? ¿Tienes una imagen clara de tu meta?

Dos de Bastos

Un día, muchos años después de que el lugar de los principios fuera creado, dos jóvenes del mundo de las hadas decidieron que querían salir juntos en busca de fortuna. Sentados frente al bastón, determinaron ser compañeros y se estrecharon la mano acordando permanecer juntos en lo bueno y en lo malo. Estaban muy entusiasmados, llenos de sueños y deseos. Hablaron de posibilidades, y aunque no estaban muy seguros de lo que querían, pensaban que no encontrarían más que buena fortuna y aventuras fabulosas.

El mensaje

Te van a proponer una sociedad. Tal vez las posibilidades de esta sociedad sean emocionantes. Sin embargo, también es posible que haya mucho que todavía no sabes, tanto sobre tu compañero como sobre la naturaleza de esta sociedad. Los sucesos descritos por las cartas de bastos incluyen un elemento de rapidez... Entran y salen rápidamente de tu vida. Tendrás que decidir. ¿Deseas realizar este compromiso, o dejarás pasar la oportunidad?

Tres de Bastos

Los dos amigos se dieron cuenta de que, aun sin saber qué es lo que deseaban lograr, reconocían que no podían empezar sin tener un plan. Por eso examinaron un libro de mapas creado por otro ser del mundo de las hadas que había partido antes que ellos en busca de aventuras. Los mapas contenían descripciones de lo que podían encontrarse en cada lugar. Los dos amigos, que habían oído relatos de la maravillosa ave fénix, decidieron que querían explorar la tierra de los espíritus de fuego a fin de ver por sí mismos esta extraña criatura. Soñaban con que el ave fénix les daría una pluma con poderosas propiedades mágicas. Ciertamente, esto les traería fortuna. Así, finalmente tenían un plan y una meta.

El mensaje

Se acerca el tiempo de avanzar. Pero antes deberás considerar todas las posibilidades. Investiga, escribe todas las opciones y piensa cuál de las metas te atrae más. Haz un mapa de tu viaje y una lista de todo aquello que vas a necesitar. Asegúrate de que posees todo lo que precisarás en el viaje, de que sabes adónde quieres ir, y de que sabes lo que harás una vez hayas llegado a tu destino.

Cuatro de Bastos

Los dos amigos aventureros se lo estaban pasando bien. El ser que había recorrido ese camino antes que ellos dejó señales. Disfrutaban del viaje y estaban preparados para que algo emocionante ocurriese. Al acercarse a los límites de la morada de los espíritus del fuego, se encontraron con una adorable hada. Ella traía consigo un huevo con puntos dorados, que había encontrado. Los dos jóvenes le resultaron simpáticos y decidió regalarles el huevo, con la esperanza de que les traería suerte. Aunque no estaban seguros de lo que contenía, pensaron que debía de ser algo valioso, por lo que lo aceptaron y le dieron las gracias.

El mensaje

Llega a tu vida un regalo inesperado. Alguien te quiere bien y desea ayudarte en tu camino. Tal vez no sepas exactamente qué hacer con el regalo, pero es valioso y deberás manejarlo con cuidado. Acéptalo, con alegría y gratitud.

Cinco de Bastos

Después de marcharse la generosa hada, los dos amigos comentaron este suceso inesperado. Sabían que el hada les deseaba el bien, pero de hecho ella ignoraba el contenido del huevo. Se preguntaron qué debían hacer con él. Uno de ellos creía que se trataba de un huevo de dragón y que tenían que abandonarlo y seguir. El otro pensaba que era un huevo de ave fénix y que debían cuidarlo hasta que naciera el polluelo. Éste era su primer desacuerdo, e hizo que ambos se sintiesen inquietos. Finalmente acordaron permanecer allí y ver al menos qué era lo que el huevo contenía. Si fuese un dragón decidieron abandonarlo.

El mensaje

Te hallas en un momento de debate e incluso de pelea, tal vez con otra persona o grupo de personas (o quizás contigo mismo). Debes llegar a un acuerdo. Para ello, tienes que asegurarte de que ambos podéis expresar vuestras razones y hacer todo lo posible por oír cuidadosamente al otro (o por examinar de forma esmerada todos los lados del conflicto que reside en tu interior). Si ninguno de los dos estáis convencidos del punto de vista del otro, debéis esforzaros en lograr un acuerdo.

Seis de Bastos

Un tiempo después, el huevo se rompió y apareció un pequeño dragón. El joven que esperaba un ave fénix se indignó, tanto por ver que se había equivocado como por no tener al ave fénix. Al mismo tiempo temía un poco al dragón. El otro estaba contento porque tenía razón. Se sentía tan exultante por haber acertado que decidió que el hecho de tener un dragón era algo bueno. Lo tomó y lo mantuvo en alto como si fuese un trofeo, mientras su amigo lo miraba al tiempo que crecía su ira, su frustración y su miedo.

El mensaje

Has logrado algo, ya sea que trabajases por ello duramente, o algo que te resultara extremadamente fácil. Te sientes bien. Quieres celebrarlo y ser reconocido por lo que has conseguido. Si realmente has logrado algo y trabajaste duro en ello, disfruta la sensación de victoria y celébralo con los seres allegados a ti. Sin embargo, si tu victoria es cuestionable, ten cuidado con esa falsa sensación de logro, y sobre todo ten en cuenta los sentimientos de aquellos que deben ser para ti más importantes que la victoria en sí misma.

Siete de Bastos

Los dos amigos que habían acordado permanecer juntos en lo bueno y en lo malo realmente lo estaban pasando mal. El dragón crecía a una velocidad increíble. Y aunque inicialmente acordaron abandonarlo, uno de los amigos no era capaz de hacerse a la idea. Pensaba que podían criarlo y domesticarlo, controlándolo y utilizándolo para sus propósitos. El otro amigo no creía que pudiese domesticarse a un dragón, que sólo les traería problemas y que debían dejarlo que viviese como viven los dragones, sin implicarlo con las vidas de su familia y de sus amigos. Discutieron acaloradamente, sin señales de que pudiesen llegar a un acuerdo. Su sociedad corría peligro.

El mensaje

Hay diferencia de opinión y pocas señales de acuerdo. Tú quieres algo que tu compañero no desea. Ninguno de los dos es capaz de adoptar el punto de vista del otro. Salvo que uno de vosotros ceda, la única solución será concluir la sociedad y romper el compromiso que tenéis uno con el otro. Esto ocurre a veces. Asegúrate de que lo que deseas vale esa ruptura. De ser así, mantente firme, cualesquiera que sean las dificultades. Si no, trágate tu orgullo y llega a un acuerdo.

Ocho de Bastos

Después de la pelea los acontecimientos tuvieron lugar de manera muy veloz. El gnomo que deseaba abandonar al dragón amenazó con destruirlo, pues pensaba que era la única manera de liberar a su amigo de su poder. El otro no deseaba abandonar al dragón, y tampoco quería que fuese destruido. Sintiendo que no tenía otra opción ni tiempo para pensar sobre esta decisión, se subió a lomos del dragón y ambos desaparecieron volando juntos. Con este acto, decidido precipitadamente y en un momento de acaloro, cortó la amistad y eligió su futuro.

El mensaje

El mensaje de esta carta es muy sencillo: los sucesos están ocurriendo con gran velocidad. Te sientes impulsado a actuar casi sin pensar. Debes seguir tus impulsos y confiar en que ésta sea la decisión correcta.

Nueve de Bastos

El joven estaba ahora solo con su dragón, que había crecido tanto que no sabía ya cómo lo iba a controlar. Por la mañana vio sangre en los labios del dragón. No sabía dónde había estado ni lo que había hecho durante la noche. Aunque se hallaban lejos del pueblo, para un dragón no era distancia. Las vidas del pueblo de las hadas estaban en peligro. Al principio de su viaje nunca pensó que podría terminar así. Es entonces cuando se dio cuenta de que las elecciones que en su momento realizó le habían llevado al punto donde se encontraba ahora. El joven gnomo aceptó su responsabilidad y pensó qué iba a hacer seguidamente.

El mensaje

En el pasado tomaste elecciones que han tenido consecuencias. Estas consecuencias pueden ser agradables o desagradables. Tal vez sean lo que tú intentabas lograr o algo muy distinto a lo que tuvieses en mente. Sin embargo, son el resultado de tus actos. Tienes que aceptarlas y decidir cómo vas a vivir con ellas.

Diez de Bastos

El joven y su dragón vivían alejados de todo el resto de la población del mundo de las hadas. Pero un dragón puede volar grandes distancias en poco tiempo. El joven lo mantenía atado y se ocupaba de él de la mejor manera que podía. Creía que era un peso que él debía soportar, que tenía que cuidar al dragón al tiempo que lo mantenía alejado de las gentes. Era una carga muy pesada y ninguno de los dos era faliz. Realmente es una triste historia, pero uno se pregunta: ¿por qué no dejó que se fuese el dragón volando y se juntase con todos los demás dragones que viven muy lejos de las hadas, los gnomos y los elfos?

El mensaje

Estás llevando una carga muy pesada. Las responsabilidades te desbordan. Tu vida es realmente desgraciada. Lamentablemente, hay momentos en la vida en los que todo esto es cierto. En estos casos deberás hallar fuerzas y esperanzas donde puedas, y si es necesario acudir a otros en busca de ayuda o inspiración. Sin embargo, tienes que asegurarte de que no llevas esa carga sin necesidad. Cuando te sientas desbordado, examina aquello que estás soportando. ¿Realmente tienes que ser responsable por todo ello? ¿No habrá otra manera mejor de manejar el asunto? ¿No habrá algún modo de hacer más fácil tu camino?

Moraleja

Debes siempre afrontar las consecuencias de tus actos, pero no dejes que esas consecuencias se conviertan en tu destino. Nunca es demasiado tarde para tomar las decisiones correctas.

Copas

La celidonia mágica

As de Copas

Érase una vez un extraño lugar del mundo de las hadas situado entre la tierra y el mar, pero que no era ni tierra ni mar. En este poco probable y deshabitado lugar, entre un grupo de lirios, creció una celidonia. Dado que pocas hadas iban por allí, pocas también conocían la existencia de la celidonia, y todavía menos se detuvieron a indagar. Pasaron los años, y los escasos transeúntes comenzaron a darse cuenta de que sobre la celidonia estaba creciendo un pequeño pero hermoso cáliz. Quien se hubiera detenido el tiempo suficiente se habría dado cuenta de que generaba extrañas perlas esféricas, tal vez esferas perladas. Nadie sabía a ciencia cierta de qué se trataba.

Pasó más tiempo y los relatos sobre esta celidonia se convirtieron en leyenda. Se dijo que aquél era un lugar mágico entre la tierra y el mar, donde las semillas del verdadero amor crecían desde una extraña flor en forma de copa. Posteriormente se afirmó que si dos seres pasaban por aquel sitio juntos y compartían la semilla del amor verdadero, recibirían un gran regalo. El amor verdadero los uniría para siempre. Pero este regalo tenía un precio: los dos deberían vencer muchas dificultades, de lo contrario estarían destinados a toda una vida de soledad, separados para siempre por no ser capaces de cuidar el don del verdadero amor. Dado que en aquella zona crecían más celidonias, las hadas decían que cada vez que se compartía una perla de amor crecía una nueva flor.

Ni siquiera las hadas y los gnomos más aventureros exploraban aquel lugar solos. Aunque la promesa del verdadero amor era tentadora, las consecuencias de resultar no merecedor eran tales que nadie quería correr los riesgos.

El mensaje

Estás frente a la oportunidad de iniciar una nueva relación. No dejes que el miedo de lo que pueda ocurrir se interponga en tu camino, abórdala con la intención de hacer de ella lo mejor, y no dejes de cuidarla y de reforzarla.

Dos de Copas

Un día una joven, hermosa y aventurera ninfa oyó hablar de la celidonia mágica y de su promesa del amor verdadero, y decidió ir en su busca. Al mismo tiempo, un joven elfo de los bosques igualmente hermoso y aventurero decidió lo mismo. Ambos, al mismo tiempo, se descubrieron entre sí, y encontraron la celidonia mágica y una perla esférica. Aunque eran de raza distinta, ella aceptó la perla cuando el elfo se la ofreció. Convencidos de la verdad de la leyenda, se prometieron mutuamente amor eterno.

El mensaje

Estás al principio de una asociación emocionante, ya sea romántica o de otro tipo. Todo parece mágico y maravilloso. Disfruta al máximo este momento y guarda los recuerdos de él. La felicidad de este instante te dará fuerza en los tiempos difíciles. Ahora para ti es fácil hacer votos y promesas. Los recuerdos te ayudarán más tarde a mantener dichas promesas en momentos en los que te preguntarás por qué las hiciste.

Tres de Copas

Tras pasear, explorar y reír todo el día con su nuevo amigo, la ninfa se fue a casa. Reunió a sus amigas para contarles lo ocurrido, celebrar su gran suerte y admirar su perla. Nadaron, danzaron y se rieron como hacen las jóvenes ante el pensamiento de un romance. Ninguna de ellas había conocido nunca a un elfo, tan sólo habían oído hablar de ellos. Sus amigas bromearon acerca del amor de la ninfa con el elfo, comentando el extraño comportamiento de algunos de los habitantes del bosque. La ninfa trató de no hacer caso de sus chistes; sin embargo, algo de ellos quedó en su mente.

El mensaje

Celebra los momentos importantes de tu vida con tus amigos. Suéltate el pelo, quítate los zapatos, y baila tan sólo por la alegría de hacerlo. Tus amigos aumentarán tu contento y te apoyarán en momentos de tristeza. De hecho, son una bendición maravillosa. Pero recuerda que aunque son una parte importante de tu vida, no son tu vida. No dejes que sus opiniones afecten a tus decisiones. Los buenos amigos celebrarán siempre tu alegría, cualquiera que ésta sea.

Cuatro de Copas

La ninfa y el elfo se encontraron con frecuencia en el jardín de la celidonia. Aprendieron mucho uno del otro, y al principio hallaron que sus diferencias eran emocionantes y graciosas. Sin embargo, tras un cierto tiempo, se cansaron de hablar de sí mismos y comenzaron a centrarse más en lo que los diferenciaba, lo cual pronto empezó a molestarlos. Entonces se preguntaron si realmente tendrían en común bastantes cosas para mantener firme su amistad. La ninfa, confundida, pensaba que tal vez los chistes de sus amigas encerraban más verdad de lo que ella estaba dispuesta a admitir. Finalmente, la ninfa y el elfo dejaron de visitar el jardín de la celidonia.

El mensaje

Estás cansado y enojado. Ya se trate de tu compañero (romántico o de negocios), de un miembro de la familia o de un amigo, el hecho es que ya estás cansado de esta relación. Es una relación que no va a ningún lado y que no tiene nada que ofrecerte, o al menos así piensas tú. Pero antes de abandonarla, medita en lo que ambos habéis puesto en la relación y en cómo os sentiréis si ésta finaliza. Si ha terminado, ha terminado. Si no, pon algo de tu parte para revitalizarla. A la larga ambos seréis más felices.

Cinco de Copas

De vez en cuando, la pequeña ninfa añoraba al elfo y se preguntaba qué estaría haciendo. Cuando veía o hacía algo que hubiera deseado poder contárselo, sentía un dolor agudo. Su llanto era cada vez más frecuente y comenzó a lamentar haber hecho caso a las palabras y chistes de sus amigas. Deseó haberse esforzado más en la relación y dejó de ser feliz en compañía de sus amigos y amigas; se sentía cada vez más sola y se recluía lejos de sus semejantes, junto al borde del jardín de la celidonia.

El mensaje

Ha terminado una relación con alguien que te importaba mucho. El dolor no va a ser fácil de soportar, al contrario, parece que cada vez es peor. Aunque el duelo por la pérdida es normal y necesario, ten cuidado. Si permaneces demasiado tiempo en duelo —si te aíslas demasiado de los demás—, estarás creando una situación peligrosa. Debes encontrar a alguien que te ayude en estos momentos difíciles.

Seis de Copas

La soledad de la ninfa se hacía cada vez mayor, y se aislaba de sus amigos y de la felicidad. Sólo había una cosa que calmaba algo su tristeza: se pasaba días y días mirando la perla que el elfo le había dado años atrás en el jardín de la celidonia. Al mirarla, revivía sus momentos felices. Al principio, se sorprendió al ver cuántos recuerdos felices habían creado juntos. Comenzó a imaginarse todos los maravillosos recuerdos como todavía por vivir, y a fantasear sobre todas las cosas que le gustaría experimentar con él si eso fuera posible.

El mensaje

Algo o alguien está faltando en tu vida y tú percibes esa pérdida muy profundamente. Experimentas una especie de paz viviendo en el pasado. Los recuerdos se ven con frecuencia alterados por el tiempo y la distancia. Pueden ser encantadores e invasivos. Pueden incluso convertirse en tiranos. Es posible que volver a vivir los recuerdos sea agradable, pero no permitas que te impidan vivir el presente.

Siete de Copas

Tras una de sus poco frecuentes visitas a sus amigos, que le pareció totalmente satisfactoria, la solitaria e infeliz ninfa se fue a su casa. Como siempre, miró la perla. Estaba sin color. Ella no dijo nada. Recordó la leyenda y se preguntó si sus recuerdos desaparecerían, dejándola tan sólo con un gran vacío. Se dio cuenta de que estaba en una encrucijada y que tenía ante sí una elección que hacer, y que de su decisión dependería su futuro. Podía abrazar la nada, o podía admitir su error y hallar a su amado elfo. Tal vez él ya no la quería, pero al menos podía intentarlo.

El mensaje

Estás ante una elección, o tal vez dos, o incluso más. Es posible que te sientas inquieto y confundido. Quizás no estás seguro de qué es lo que debes creer. Sin duda no tienes claro qué debes decidir. Pero ha llegado el momento de examinar detenidamente tus opciones y decidirte por una de ellas. En tu interior sabes lo que quieres. Céntrate en tu corazón y toma una decisión.

Ocho de Copas

La ninfa, aunque contenta de haber tomado una decisión, no sabía cómo iba a encontrar al elfo. Nunca había estado en el bosque, y no sabía cómo sobrevivir allí. No tenía ni idea de lo grande que era el bosque. Tampoco de cómo encontraría al elfo. Paseándose alrededor del jardín de la celidonia en busca de inspiración o al menos de alguna pequeña idea, se hizo amiga de una libélula que sabía dónde había varios pueblos de elfos. Tras escuchar el trágico relato de la ninfa, la libélula se prestó a ayudarla a encontrar a su amado elfo.

El mensaje

Has examinado tu alma y sientes que tu vida es tibia. Ahora sabes lo que quieres hacer. Sólo te resta llevar a cabo los arreglos necesarios y ponerte manos a la obra. Tal vez no sea fácil, y necesitarás ser valiente y fuerte. Pero no tienes mucha elección, pues si no haces esto te quedará la duda para siempre. Es tiempo de salir en busca de tu destino.

Nueve de Copas

Tras algunas extraordinarias y peligrosas aventuras con la libélula, finalmente la ninfa encontró al elfo de los bosques. Él había estado tan triste y solitario como ella. Ambos se añoraban, soñaban y deseaban. Al abrazarse con alegría sintieron que sus deseos se habían cumplido, y que todos aquellos años de dolor eran barridos por la dulzura del momento. Su devoción y su compromiso se reavivaron templados por la sabiduría del tiempo y de la experiencia. Ambos se sintieron felices por haber aprendido la lección antes de que fuese demasiado tarde.

El mensaje

Esta carta es tradicionalmente conocida como la carta del deseo. Tus más íntimos deseos se convierten en realidad. Es un momento que todos queremos experimentar. Sin embargo, no es frecuente que se nos concedan todos los deseos. Puedes ayudar al proceso pensando qué sería necesario para que los mismos se conviertan en realidad. Es posible que tengas más posibilidades de convertir tus sueños en realidad de lo que tú imaginas. Hazlo.

Diez de Copas

Años después seguían juntos. No vivían ni en la tierra ni en el agua. No tenían una vida totalmente de ninfa ni completamente de elfo, sino una vida única de ellos. Pasaban los días juntos, felices y agradecidos. Valoraban mucho su perla, símbolo de su amor, de ese amor que los reunió en primer lugar y que posteriormente les dio una segunda oportunidad. Habían descubierto que no tenían problema en encontrar cosas que hacer juntos. Y cuando se les terminaban los temas de que hablar, estaban satisfechos simplemente con estar uno en presencia del otro.

El mensaje

Esta carta muestra paz, satisfacción y felicidad perfectas. ¿La tienes? Da las gracias y valórala cada día de tu vida. ¿La deseas? Normalmente es el premio de años de arduo trabajo y cuidadosa atención a los detalles de la relación. Es raro que ocurra sin más. A decir verdad, implica mucho trabajo y realmente lo merece.

Moraleja

A veces el amor lleva tiempo, pero generalmente lo que sí necesita es esfuerzo. Busca siempre la comprensión y la reconciliación.

Espadas

La rosa azul

As de Espadas

En un tiempo tan lejano que incluso las hadas más ancianas no lo recuerdan, había una rosa azul. Vivía en medio del ancestral jardín de las hadas. Era una planta espectacular, que todo el mundo creía que poseía extraordinarios poderes mágicos. Cuando la rosa estaba brillante y saludable, así se sentían ellos. Cuando estaba mustia y estresada, del mismo modo se sentía el pueblo. Una vez, un bienintencionado rey de las hadas decidió que no quería que el bienestar de su pueblo dependiese de algo tan variable como la salud de una delicada planta. Así, ordenó a los artesanos más habilidosos y a los magos más sabios que fabricasen una espada que tuviera el poder de la rosa azul. En el momento de mayor esplendor de la rosa recolectaron una gran espina de la planta. Con ella fabricaron una espada gloriosa, embellecida con los símbolos más sagrados. Cuando estuvo terminada la dejaron cerca de la rosa, y utilizando su magia pasaron el poder de la rosa hacia la espada. Cuando terminaron, trataron de tomarla para entregársela al rey, pero descubrieron que nadie podía tocarla. No tuvieron más opción que dejarla donde estaba, preguntándose qué es lo que habían hecho mal. Finalmente, se dieron cuenta de que era una locura tratar de alterar el orden natural de las cosas, eliminando de nuestra vida todos los riesgos. Confundidos, abandonaron la espada, dejando que el jardín creciera a su alrededor y la escondiese de su vista.

El mensaje

Estás frente a un reto o un problema de algún tipo. En lugar de quejarte de que la vida tenga altos y bajos, aprende a descubrir una forma sana de afrontar los retos o resolver los problemas, o bien desarrolla una manera realista de vivir con ellos.

Dos de Espadas

Pasaron varias generaciones, y la espada quedó totalmente olvidada. Con el paso del tiempo crecieron cada vez más rosas azules, hasta que finalmente llenaban todo el jardín. Un día dos amables hadas jardineras notaron que un capullo sobresalía de los demás. Su brillo y su energía eran únicos; sin duda se trataba de una rosa mágica. Prometieron proteger y cuidar dicho capullo, y pasaron horas y horas observándolo y bañándolo con su amor. Cuando floreciese, enseñarían este gran regalo a la reina. Mientras tanto, sería su secreto.

El mensaje

Tienes ante ti una elección. Estás en una situación, o una relación, o te hallas implicado en un proyecto que requiere de ti demasiado tiempo y energía. Tu vida se puede desequilibrar, ya que abandonas otras responsabilidades. Cualquier situación que te impulsa a mantener secretos ante aquellos que amas es peligrosa y poco saludable. Sé sincero contigo mismo acerca de lo que estás haciendo y piensa por qué. Tomar hoy la decisión adecuada eliminará mayores problemas futuros, o tal vez incluso una tragedia.

Tres de Espadas

Las dos hadas un día descubrieron que su amada rosa se estaba muriendo. Sus corazones estaban destrozados. Más que destrozados..., sentían que les eran arrancados fuera de su cuerpo. El dolor era tan fuerte que el suelo pronto estuvo cubierto con sus lágrimas de cristal. No podían creer que todo su amor no hubiese protegido absolutamente a la rosa. Sus planes de presentar la rosa mágica a la reina estaban destrozados. Todo lo que sentían era su pérdida y lloraron esa pérdida sin cesar durante días.

El mensaje

Cuando algo que has amado o en lo que has invertido mucho se pierde, duele. Si has perdido algo, no trates de actuar como si no importara. Reconoce tu dolor, y deja que se manifieste. Tal vez temas que si permites que esos sentimientos salgan te desbordarán y llenarán tu vida. En un principio puede parecer así, pero finalmente tu duelo terminará y comenzarás a sanar.

Cuatro de Espadas

Finalmente agotadas por la pena, ya no eran capaces de llorar más. Ni tampoco de afrontar su trágica situación, pues toda su fuerza las había abandonado. Así, se durmieron bajo el capullo moribundo, confortándose mutuamente y esperando que al despertar todo hubiera sido solamente una pesadilla, y encontrarían a su rosa en perfectas condiciones. Durmieron profundamente, y su sueño fue largo y tranquilo. La rosa lloraba también mientras ellas dormían, cuando el final de sus fuerzas lentamente fluía hacia la tierra. La triste realidad de la rosa moribunda se inclinaba sobre ellas. La situación terrible permanecía inalterada a pesar del dolor.

El mensaje

Si te encuentras frente a una situación difícil y sientes que no posees la fuerza necesaria para afrontarla, no lo hagas. Tómate un descanso. En un estado de agotamiento total, tu mente no puede funcionar bien. Aunque tu problema seguirá estando allí cuando te despiertes o cuando regreses a él, estarás mucho mejor equipado para abordarlo con sabiduría. A veces, en los sueños, hallamos la solución a nuestros problemas.

Cinco de Espadas

Tras muchas horas, las hadas jardineras se despertaron. Entonces vieron que no sólo el capullo seguía muriéndose, sino que la situación había empeorado. Todo el jardín estaba muriendo a su alrededor. Felizmente, el sueño las había refrescado y, así, decidieron hallar una solución a su problema. Debatieron y comentaron, tratando de averiguar quién o qué era el culpable de aquella catástrofe. ¿Era culpa de alguien? ¿Habían hecho algo malo? ¿Qué podían haber hecho de otra manera? ¿Qué podían hacer para cambiar la situación?

El mensaje

A veces, la única forma de descubrir qué se puede hacer es examinar la situación cuidadosamente, considerar cada ángulo y cada aspecto de ella. Puedes hacer esto solo o con otros. Se dice que la única manera de obtener la respuesta correcta es hacer la pregunta correcta. Si haces las suficientes preguntas en relación con tu problema, finalmente hallarás la respuesta adecuada.

Seis de Espadas

Las dos hadas habían agotado todas las posibilidades. Finalmente se dieron cuenta de que carecían de la sabiduría y la experiencia necesarias para abordar esta situación, pero conocían a alguien que podía hacerlo. Decidieron buscar la guía y la ayuda de la reina de las hadas. Tal vez ella sabría qué hacer para salvar al capullo mágico y a la totalidad del jardín. No era posible que ellas solas trataran este asunto. Aunque todavía sentían miedo y estaban preocupadas, la decisión de actuar, aunque tan sólo sea pedir ayuda, hizo que tuviesen esperanza. Al menos sentían que se estaban moviendo en la dirección correcta.

El mensaje

A veces los problemas son demasiado grandes o complejos para abordarlos nosotros solos. Independientemente de las preguntas que hagas o de lo que pienses acerca del problema, es posible que no halles respuestas ni encuentres un plan viable. En estos casos, harás bien en buscar el consejo de alguien con el conocimiento y la experiencia necesarios para ayudarte. Decidirte a hacer esto es tal vez un paso pequeño, pero es un paso en la dirección correcta.

Siete de Espadas

Al oír el relato de sus compañeras, la reina fue rápidamente al jardín, y halló al capullo moribundo. Percibió lo peligroso de la situación, y temió lo peor. La reina no se detuvo a considerar nada, sino que actuó rápidamente, tal vez con demasiada rapidez. Al verter su magia sobre el capullo y sobre el jardín, velozmente volvieron el color y el perfume de las rosas. De pronto todo a su alrededor comenzó a expandirse cada vez más rápido, mientras ella era incapaz de detener ese crecimiento. Las rosas crecían cada vez más, retorciéndose y expandiéndose.

El mensaje

Incluso los sabios cometen errores. Actuar precipitadamente encierra muchos peligros. Ten cuidado con las consecuencias de tus actos aplicados a cambiar una situación dada. Tal vez termines con el problema, pero al mismo tiempo puedes crear uno totalmente distinto y quizás peor que el anterior. Independientemente de lo mala que sea la situación, tómate tiempo para pensar antes de actuar.

Ocho de Espadas

Antes de que la hermosa y querida reina pudiese salir, las espinas de las rosas, rojas como sangre, la envolvieron, aprisionándola. Sus alas y sus brazos estaban amarrados a su espalda, inservibles. Estaba inmovilizada, incapaz de realizar magia alguna y totalmente indefensa. Sin embargo, el capullo mágico comenzó a abrirse, precisamente cuando la situación parecía ya desesperada. Tal vez, de algún modo, la rosa mágica la salvará y salvará al jardín y a su gente, a pesar de su comportamiento impulsivo.

El mensaje

Quizás te halles en una situación en la que te sientas amarrado, indefenso y sin esperanza. Sientes que estás atrapado, sin salida. Abandonarte al pánico no servirá de nada. En lugar de ello, respira profundamente, cálmate y mira a tu alrededor. Busca algo en lo que puedas centrarte, algo que te ayude a vivir la experiencia o a salir de tu presente situación. Puedes sorprenderte viendo que la ayuda que necesitas está más cerca de lo que pensabas.

Nueve de Espadas

Mientras las enredaderas espinosas la envolvían apretándola cada vez más, la reina continuaba centrándose en la hermosa rosa mágica, sabiendo que de algún modo su salvación estaba en ella. La reina se sentía cada vez más débil; sin embargo, no cayó en la desesperación. Cuando sus esfuerzos ya estaban agotándose, vino volando un pájaro, cortó el capullo azul con el pico y se marchó volando. La desesperada reina lloró entonces su cruel destino, pues creía que sin la rosa mágica el jardín continuaría creciendo salvajemente, y acabaría con su vida y quizás también con las vidas de su pueblo.

El mensaje

Crees que si tiene lugar un determinado suceso, estás perdido. Piensas que tu vida, tal como la conoces, habrá acabado, y que la felicidad te abandonará para siempre. Tal vez esta creencia te da fuerza y te ayuda a luchar por algo que deseas mucho. Sin embargo, recuerda que sólo porque tú creas que algo te hará desgraciado no tiene por qué ser así. Lucha por lo que quieres, pero no olvides que el peor escenario que pueda presentarse tal vez no sea tan malo como tú te imaginas.

Diez de Espadas

Tal como la reina pensaba, durante la noche, la enredadera apretó cada vez más su cuerpo, mientras las espinas continuaron creciendo y clavándose en su delicada piel. Su cuerpo, aparentemente muerto, se mantuvo en pie precisamente a causa de las enredaderas que podían haberla matado. Vemos cómo su roja sangre gotea contrastando con el profundo verde de las enredaderas. En el punto donde cayó la primera gota de sangre, comenzó a crecer un nuevo capullo azul. La reina no puede verlo, pero encierra una magia maravillosa y potente. Más allá de esta trágica escena vemos un cielo luminoso lleno de promesas y esperanza.

El mensaje

Lo que temías y trataste de evitar ha ocurrido. Algo ha concluido y tu vida ha cambiado. Ha cambiado pero no ha terminado. Lo peor ya pasó, y tal vez te sientas exhausto. Quizás incluso te sientas durante un tiempo interiormente muerto. Pero, sin lugar a dudas, algo nuevo llegará a ti y llenará el espacio vacío. La mañana te traerá la promesa de un nuevo amanecer y de una esperanza renovada.

Moraleja

Tratar de eliminar todo dolor de tu vida sólo generará problemas mayores. Acepta y abraza los ciclos naturales de la vida, tanto los alegres como los trágicos.

Pentáculos

La fortuna de las hadas

As de Pentáculos

Érase una vez, en un hermoso día de primavera, una joven hada que se paseaba lejos de sus amigos y de su familia, encantada por las maravillas del bosque. Pasó todo el día caminando, siguiendo cualquier sendero al que la llevase su capricho. Al caer la noche, halló un lugar cómodo y se quedó dormida. Al despertarse la mañana siguiente, se dio cuenta de que estaba perdida. Pasó días tratando de hallar el camino para volver a casa, pero no lo consiguió. Sin embargo, no se preocupó demasiado. La tranquila belleza del bosque le gustaba y a su alrededor había abundancia de comida.

Después de decidir que no seguiría buscando el camino de vuelta a casa, pasó muchos días felices, disfrutando del bosque. Había tanta riqueza a su alrededor que pensó construirse una hermosa morada. Viviendo en el pueblo, había aprendido cómo crear jardines y huertos, y cómo almacenar comida para el invierno. No había nada que no pudiese hacer por sí sola.

El mensaje

Disfrutas de la afortunada posición de tener habilidades y recursos suficientes para crear la vida que deseas. Estás en un lugar que tiene todo cuanto necesitas. Mira a tu alrededor y reconoce la belleza y los dones que hay en tu vida. Honra esos regalos expresando tu gratitud y usando tus habilidades para lograr el máximo de esta oportunidad.

Dos de Pentáculos

En el pueblo, la joven hada había trabajado junto a otras, sembrando en jardines que habían estado allí desde hacía muchos años. Pero ahora empezar de la nada era un asunto muy distinto. Tenía que comenzar limpiando el suelo y buscando las semillas por sí misma. A veces el trabajo era muy duro, y se preguntaba cómo iba a realizarlo. Pero no tenía otra opción, por lo que se puso a hacer lo que debía. Se dedicó a trenzar cestas para portar las semillas y a fabricarse herramientas sencillas a fin de cavar la tierra. Como era una joven práctica y brillante, hizo un plan viable, dejándose tiempo también para disfrutar la belleza de la naturaleza.

El mensaje

Tal vez sientas que tienes demasiadas cosas que hacer e insuficiente tiempo para llevarlas a cabo. Tienes una lista de tareas que parece interminable. Trata de salir del caos estableciendo un orden de prioridades. Asegúrate de que estás siendo todo lo eficiente que se pueda. No te olvides de equilibrar trabajo y placer. Sin ambos, la vida no está equilibrada.

Tres de Pentáculos

El hecho de planear sus tareas le resultó muy productivo. El hada trabajaba ahora feliz en su jardín, sembrando y cuidándolo. En él crecían plantas comestibles y también hermosas flores, entre ellas amapolas y margaritas. Su belleza la alegraba y al mismo tiempo atraían a las mariposas. Pronto las semillas germinaron, formando frágiles plantitas que más tarde se convirtieron en grandes arbustos. Luego florecieron prometiendo generar alimento abundante. A medida que los vegetales crecían, ella recordaba todo lo que aprendió sobre agricultura, y se preocupaba de que sus plantas estuviesen bien y libres de insectos y enfermedades.

El mensaje

Posees muchas habilidades maravillosas, y ha llegado el tiempo de ponerlas en práctica. Deberás trabajar cuidadosa y concienzudamente, haciéndolo lo mejor que puedas. Crea cosas útiles y que traigan alegría a tu vida. Experimenta el placer de hacer algo bien.

Cuatro de Pentáculos

Mientras maduraban los vegetales y las frutas, el hada trenzaba artísticamente hermosas cestas para luego almacenar en ellas su cosecha. El otoño se acercaba, y su huerto-jardín estaba lleno de preciosas uvas, manzanas, tomates y otras delicias. Una vez hubo cosechado el producto de su huerto y lo hubo almacenado en sus cestos, se detuvo a admirar la frondosidad del lugar. Los colores y aromas del huerto-jardín la llenaban de alegría. Pensaba en los aromas y texturas que la rodearían en invierno. El largo verano de cuidadoso trabajo había sido rentable. Estaba muy orgullosa de los resultados, y no recordaba haber sido tan feliz en su vida.

El mensaje

Ha llegado el momento de recoger el fruto de tus trabajos y de planear el futuro. Has trabajado mucho y ahora es tiempo de recoger los beneficios. Es también momento de comprobar que has almacenado bastante para mantenerte en los tiempos que se avecinan, que pueden ser difíciles. Admira y disfruta lo que has acumulado, y siente agradecimiento por tu buena fortuna.

Cinco de Pentáculos

El hada estaba desesperada. No podía creer lo que había ocurrido. De pronto llegaron las ratas y le robaron todo aquello por lo que ella había trabajado tanto. Se llevaron sus frutos y sus verduras, y destrozaron su huerto-jardín. La vida por la que tanto había trabajado ha sido destruida. Sentada entre los destrozos, estaba demasiado apesadumbrada para hacer otra cosa que no fuese lamentar su pérdida. Y allí permaneció mientras el tiempo se volvía cada vez más frío, sin ser consciente siquiera de su propia hambre, sintiéndose cada vez más débil. Cuando trataba de pensar en su futuro, y de qué iba a hacer en el invierno, se sentía abrumada y desesperada. Se preguntaba si iría a morir.

El mensaje

Te encuentras en un estado de carencia, tanto material como emocional. Te sientes sin esperanzas, con gran preocupación. Quizás estás demasiado cansado incluso para pensar qué es lo que debes hacer. Ahora el reto, a pesar de cómo sientes la situación, es hallar a tu alrededor ciertos recursos de los cuales no has sido consciente hasta ahora. No dejes que tu estado actual te desborde. No te permitas acostumbrarte a esta situación. Levántate y busca una forma de mejorar tus circunstancias.

Seis de Pentáculos

La joven hada, en un estado de gran debilidad, fue descubierta por una familia de ratones campesinos. Vieron la triste situación en la que se encontraba y se apiadaron de ella. No quisieron dejar que muriera, por lo que le trajeron frutos y semillas, compartiendo con ella sus provisiones. La generosidad de los ratones y su buen corazón la conmovió. Aceptó su caridad con un corazón agradecido. Al recuperar las fuerzas les contó lo ocurrido y ellos la invitaron a pasar el invierno en su casa. Hicieron todo lo posible para que se sintiese bien y no se considerara como una carga.

El mensaje

Si estás en una posición de necesidad, hallarás a alguien que pueda ayudarte. Su generosidad puede abrumarte, y al mismo tiempo ser difícil de aceptar. A veces puede resultar dificultoso recibir ayuda, por considerarla "caridad", como si fuera algo malo. Todos tenemos necesidad de ayuda de vez en cuando. En el momento en que la necesites, acéptala agradecido. Y si estás en posición de ayudar a alguien y decides hacerlo, recuerda que es difícil aceptar ayuda, y trata de darla de una manera que permita a quien la recibe mantener su dignidad.

Siete de Pentáculos

El hada fue a casa de los ratones. El invierno se aproximaba con rapidez y había todavía mucho que preparar. La joven era muy práctica y deseaba ser útil. Ayudaba a recoger las últimas nueces y semillas. Observaba sus montones de alimento, viendo que se trataba sólo de eso, montones. Sabiendo que ahora había una boca más que alimentar, y conocedora de que un almacenamiento adecuado ayuda a que la comida se mantenga fresca y sabrosa, comenzó a trenzar cestos adecuados para cada tipo de alimento. La familia de ratones estaba impresionada con sus habilidades, y se sentía agradecida por su contribución.

El mensaje

Se acerca una situación que requiere ser meditada y planeada cuidadosamente. Al pensar en la situación que se aproxima, asegúrate de averiguar cuáles serán tus necesidades y calcular cuál será la mejor manera de afrontarlas. Planear el futuro hará que éste resulte mucho más fácil y placentero. Una falta de planeamiento puede crear un estrés innecesario. ¿Por qué agobiarse en el último minuto si puede evitarse?

Ocho de Pentáculos

Los ratones estaban fascinados con los cestos que trenzaba el hada. Ella, viendo su interés, se ofreció a enseñarles. Ellos observaban atentamente mientras ella les mostraba cómo debían hacer, explicándoles los trucos para hacer cestos fuertes, útiles y atractivos. Los ratones le hacían preguntas sobre el diseño y la elaboración de los cestos, cosas en las que antes jamás habían pensado. Sus preguntas le daban al hada nuevas ideas para lograr cestos mejores y más bonitos. También los ratones tenían ideas propias. Aplicaron algunas técnicas de trenzado a sus camas y a sus nidos, haciéndolos más sólidos y confortables.

El mensaje

Es hora de aprender otras habilidades, ya se trate de algo totalmente nuevo o de mejorar cosas que ya sabías hacer. O quizás es el momento de enseñar a otros algo que para ellos es nuevo. No debes olvidar que el maestro puede también aprender.

Nueve de Pentáculos

En invierno los días eran cortos y las noches largas. El hada y los ratones campesinos pasaban las largas noches de invierno muy calientes y cómodos. Su bien merecido sueño era profundo y tranquilo. Sabían que se habían construido un refugio bueno que los protegía del frío y que habían almacenado bastante comida para cuando se despertasen. Estaban felices de haber actuado bien en momentos difíciles. Así, dormían disfrutando sueños felices sobre la próxima primavera.

El mensaje

Has trabajado mucho para crearte una vida tranquila y segura. Tuviste que afrontar elecciones que no siempre fueron fáciles. Superaste problemas y desgracias. A veces debiste sacrificar placeres inmediatos a cambio de metas a largo plazo. Si no tienes la vida que deseas, date cuenta de que puedes tenerla, siempre que estés dispuesto a hacer lo necesario para lograrla.

Diez de Pentáculos

Para los ratones campesinos y su hada huésped, los largos y fríos meses de invierno no fueron pesados ni aburridos. Cada comida era una fiesta con sabrosos alimentos, compañía agradable y alegría general en un ambiente festivo. Los compañeros compartieron relatos, hicieron planes y comentaron técnicas de trenzado y de agricultura. Disfrutaron de un entretenimiento constante y unos a otros se ayudaron para mantener la moral elevada. Todos estuvieron de acuerdo en que fue el invierno más feliz que habían vivido. Y a decir verdad, todo resultó como un cuento de hadas.

El mensaje

Realmente no puedes pedir más: una casa cómoda, comida suficiente, mucho afecto y buena compañía. No estás aburrido ni solo. Tu vida está llena de cosas buenas y de gente buena. Disfrútalos y esfuérzate en mantenerlos. Si tu vida no incluye cosas agradables, examina tus actos y tus decisiones. ¿Cómo han afectado a tu situación actual? ¿Qué puedes ahora hacer para cambiarla?

Moraleja

Tener abundancia es bueno. Tener seres queridos con los cuales compartirla es todavía mejor.

Capítulo 4

Las figuras de la Corte

Como ya sabes, los Arcanos Mayores representan los hitos o acontecimientos importantes de la vida. Y hemos visto también que los Arcanos Menores indican sucesos en la vida diaria que forman parte del escenario total. Lo que nos falta ahora es las personas que se hallan en dicho escenario. Y aquí es donde entran en juego las figuras de la corte. Éstas representan o bien a otras personas relacionadas con nuestra vida, o bien aspectos de uno mismo. Al realizar una lectura, siempre es bueno, en primer lugar, tratar de interpretar una figura de la corte como un aspecto de uno mismo. Si en el contexto de la lectura esto no funciona, es probable que represente a otro individuo. Recuerda que aunque las figuras de la corte aparecen en las cartas como masculinas o femeninas, pueden encarnar a una persona de cualquiera de los géneros.

Cada figura de la corte posee unas características específicas, y cada tipo de carta comparte también algunos rasgos esenciales. Así:

LOS PAJES suelen ser estudiantes, novicios, jóvenes, ansiosos, indisciplinados, y pueden también indicar un mensaje.

LOS CABALLEROS son centrados, comprometidos, bien entrenados aunque inexpertos, y pueden también mostrar una situación rápidamente cambiante.

LAS REINAS son seres maduros, reflexivos y protectores.

LOS REYES son protectores, y gustan de organizar y dirigir a grupos.

Cada figura de la corte pertenece a un palo, al igual que los Arcanos Menores, por lo que se ve afectada por el tipo de concepto que representa su palo. Así:

LOS BASTOS representan proyectos y carreras.

LAS COPAS, emociones.

LAS ESPADAS, retos y formas de pensar.

LOS PENTÁCULOS, recursos materiales y el hecho de realizar cosas.

Dado que las figuras de la corte representan personas (o a ti mismo), no traen ningún mensaje específico a la lectura, como lo hacen los Arcanos Mayores y Menores. Las figuras de la corte —o las personas por ellas representadas— aportan a la lectura más de un tipo de energía. Son más descriptivas que prescriptivas. Por este mismo motivo, no hay claves para ellas en la guía de referencia rápida que figura al final del libro.

Paje de Bastos

El Paje de Bastos representa a alguien que se ha estado preparando para experimentar algo nuevo. Ha estudiado y observado, y cree que está listo, pero es importante para él hacerlo bien la primera vez, por lo que debe imaginarse exactamente qué es lo que va a hacer. Aunque prefiere la acción, le disgusta más parecer un loco que permanecer sentado tranquilo; por ese motivo, pospondrá la acción hasta estar seguro de que puede realizarla perfectamente. A causa de ello, tal vez se resista a asumir riesgos. Puede también representar un mensaje acerca de tu carrera, de un proyecto en el que estás trabajando, o de un curso o estudio en el que estás interesado.

Caballero de Bastos

El Caballero de Bastos nos muestra a una guerrera fuerte y centrada. Está saturada de disciplinada energía y lista para empezar una tarea. Su pasión por la acción sólo será contenida durante cierto tiempo. Si no se le asigna una tarea, se irá a buscarla. Si permanece sedentaria demasiado tiempo, puede sentirse inquieta.

Reina de Bastos

La Reina de Bastos es alguien que gusta de verse envuelto en grandes empresas. Ayudará a quien sea en casi cualquier cosa, siempre que no se trate de algo demasiado detallista o quisquilloso. Disfruta de los reflectores, por lo que es importante asegurarse de que su talento y su energía reciben la alabanza que ella merece. Le gusta ayudar, pero lo hace actuando más que hablando, por lo que no esperes que sea una buena oyente.

Rey de Bastos

El Rey de Bastos es un líder enérgico y ambicioso, que se crece con el reconocimiento de la sociedad. Tiende a centrarse sólo en un proyecto a la vez, excluyendo todo lo demás. Su dedicación a un único asunto puede hacer que, a veces, su vida sea un poco desequilibrada. Puede tener tendencia a olvidar otros asuntos, como su familia o sus necesidades físicas.

Paje de Copas

El Paje de Copas es usualmente feliz y tal vez un poco inocente en relación con lo complejo de las emociones. Tiene poca experiencia con la tragedia, y tiende a ver las cosas en blanco y negro, por lo que puede ser crítico. A pesar de su falta de experiencia y profundidad, tiene muy buen corazón y está siempre listo, o lista, a compartirlo casi con cualquiera.

Puede también indicar un mensaje acerca de un romance, de un proyecto artístico o creativo, o bien de una situación cargada emocionalmente.

Caballero de Copas

El Caballero de Copas es soñador y romántico. Está enamorado de la idea de estar enamorado. Aunque tal vez no vea las cosas estrictamente en blanco y negro, experimenta sus emociones con gran fuerza y extremadamente. Es muy interesante, y tiene una cierta inclinación hacia lo dramático, pero también puede resultar agotador. Sus emociones usualmente están más basadas en sus caprichos que en la realidad.

Reina de Copas

La Reina de Copas no necesariamente ama con facilidad, pero ama bien. Es creativa, sensata y una excelente oyente, especialmente si la charla está acompañada de un buen café con deliciosas galletas, pues tiene un componente bastante sensual. Le gusta ayudar a los demás en las crisis emocionales, pero a veces puede resultar un poco controladora y manipuladora.

Rey de Copas

El Rey de Copas es un líder compasivo y dedicado. Tal vez le importe más la felicidad de su gente que la eficiencia. Sin duda será más feliz como conservador de un museo que como directivo de una institución financiera. Su amor por todas las cosas bellas y sus deseos artísticos frustrados pueden distraerle de la tarea que está realizando.

Paje de Espadas

El Paje de Espadas es increíblemente seguro e inteligente. Normalmente entiende la teoría que subyace en lo que va a hacer. Para él es todo cuanto necesita. Si posees la comprensión intelectual de algo, ¿cómo no vas a ser capaz de realizarlo? Por eso tiende a lanzarse de cabeza, se halle o no preparado. Afortunadamente, el fracaso nunca parece derrotarlo.

Puede también representar un mensaje relacionado con un problema o una situación actual.

Caballero de Espadas

195

El Caballero de Espadas pasa muchas horas ejercitando su cuerpo y disciplinando su mente. Dominará con precisión cualquier asunto que se proponga. Su dedicación a una meta es más importante que ninguna otra cosa, lo cual puede significar que las emociones y las necesidades de otras personas pueden llegar a ser víctimas de esta característica suya.

Reina de Espadas

La Reina de Espadas ha conocido el sufrimiento y ha sobrevivido. Eso la ha convertido en alguien fuerte e inteligente. También la ha hecho un poco distante y tal vez algo fría. Como todas las reinas, es creativa y tiende a sobresalir en formas complejas e intrincadas de expresión artística, como por ejemplo tocar el arpa. Tiene un ingenio natural para las palabras, lo que la convierte en muy buena compañía. Pero no soporta a los tontos. Es una gran fuente de sabiduría y consejos. Sin duda poseerá la mejor solución para cualquier problema, pero tal vez la entregará utilizando su afilada lengua.

Rey de Espadas

El Rey de Espadas se define a sí mismo como racional y sin duda lo es. Llegará a una zona de desastre y construirá una nueva ciudad antes de que otros organicen siquiera la limpieza de los fondos. Puede ganar un torneo de ajedrez, dirigir una batalla o hacerse cargo de una reunión. Es eficiente y efectivo. Hacer algo y hacerlo bien es para él más satisfactorio que cualquier reconocimiento público o privado. Mientras que sus necesidades intelectuales son vastas, las emocionales parecen ser mínimas. Pero ¿lo son realmente?

Paje de Pentáculos

El Paje de Pentáculos gusta de disfrutar las cosas buenas de la vida sin preocuparse demasiado. Se complace en los placeres simples. Como no le gustan los asuntos complicados, toma las cosas tal como son. Se complace en experimentar y realizar actividades, así como en compartir con los demás aquello que ha hecho. Aunque siempre termina lo que empieza, no necesariamente domina algo antes de pasar a otro asunto distinto. Por ser tranquilo, algunos pueden pensar que carece de profundidad o inteligencia.

Puede también indicar un mensaje acerca de un determinado proyecto, de dinero, recursos o salud.

Caballero de Pentáculos

El Caballero de Pentáculos ama y respeta profundamente las cosas bellas. No necesariamente es rápido para actuar y dedica tiempo a considerar el valor de las cosas y de las ideas. Una vez está convencido del mérito de algo, se dedica por entero a su protección. Puede confiársele lo que sea (bienes materiales, personas, secretos, etc.). Con él estarán seguros. Al no estar interesado en salir en busca de nuevas actividades, algunos pueden pensar que es perezoso, pero la verdad es que su devoción no tiene igual.

Reina de Pentáculos

La Reina de Pentáculos es la quintaesencia del artesano o artista. Posee el equilibrio perfecto entre habilidad técnica e innovación creadora. Cualquier cosa que aborde puedes estar seguro de que lo hará bien. Y sin duda emprenderá multitud de actividades. Cuando descubre algo que gusta a sus manos y enciende su imaginación, es realmente brillante. No huye del reconocimiento público de sus talentos, y sus logros pueden cegarla a las necesidades de los demás.

Rey de Pentáculos

El Rey de Pentáculos organiza las mejores fiestas y es el anfitrión perfecto. Hace siempre lo necesario a fin de lograr lo mejor para sus huéspedes. Aunque nunca será él mismo el alma de la fiesta, se asegurará de que todos lo pasen bien. Ha trabajado mucho a fin de disfrutar los placeres de la vida, y nada le hace más feliz que compartir estas cosas con aquellos que ama. Es posible que no atienda debidamente su bienestar intelectual o emocional.

Capítulo 5

Una visita al Jardín de las **Hadas**

El *Tarot de las hadas* es mucho más que una colección de bellas imágenes que nos cuentan relatos encantadores. De hecho, se trata de un instrumento que te ayudará a descubrir tu camino en medio del jardín de tu vida. Úsalo realizando lecturas. Toda lectura se compone de los pasos siguientes:

1. Crear un espacio sagrado.
2. Hacer una pregunta.
3. Seleccionar una tirada.
4. Barajar las cartas.
5. Extender las cartas.
6. Interpretar la lectura.
7. Dar gracias a las hadas por su ayuda.
8. Limpiar y guardar las cartas.

Vamos a revisar cada uno de estos pasos a fin de que sepas exactamente lo que debes hacer para lograr las respuestas más claras posibles.

Crear un espacio sagrado

Al realizar una lectura, lo que estás buscando es una guía espiritual procedente del mundo de las hadas. Para ayudar a establecer una buena comunicación entre tú y ellas, deberás crear una puerta a través de la cual puedas invitar a las hadas para que compartan contigo su conocimiento. También, si te preparas a ti mismo y preparas tu espacio, estarás más centrado y listo para recibir los mensajes.

Esta preparación puede ser algo tan sencillo como limpiar una superficie plana para extender las cartas y realizar algunas inspiraciones profundas a fin de centrarte. Algunos utilizan rituales más elaborados. Seguidamente te doy varias ideas, por si crees que alguna de ellas pudiera ser adecuada para ti:

— Utiliza una tela especial sobre la cual extender las cartas. Es preferible que sea lisa, pues en caso de tener algún diseño éste puede distraerte, dificultando el enfoque en las imágenes de las cartas. La tela definirá el espacio y ayudará a mantenerte centrado en la lectura.

— Enciende una vela rosa o blanca, a fin de invitar a tu espacio a la energía positiva, o bien una azul para potenciar la claridad.

— Quema un incienso que estimule la capacidad psíquica (citronela) o bien que invite a tu espacio la energía amorosa (lavanda o romero).

— Sitúa en tu espacio un cristal o una gema. Si lo que buscas es una respuesta relacionada con el amor, usa un cuarzo rosa. Si estás investigando un asunto difícil o que te produce temor, el ojo de tigre genera protección, y la amatista estimula el valor.

— Enraízate y céntrate: apoya los pies firmemente en el suelo, relájate, cierra los ojos y respira tres veces profundamente.

— Di una oración o simplemente invita a las hadas a tu espacio.

Hacer una pregunta

Si lo que buscas son respuestas correctas, más te vale hacer las preguntas adecuadas. Recuerda que predecir el futuro se parece a predecir el tiempo. El futuro no está totalmente predeterminado. Aunque podemos ver cómo un conjunto de sucesos llevan a un posible desenlace, las cosas pueden ocurrir de forma repentina y cambiar totalmente el curso de los acontecimientos. Y, por supuesto, al igual que ocurre con el tiempo, cuanto más alejado del presente mires, menos clara será la imagen que veas.

Para usar las cartas con mayor efectividad, es mejor hacer preguntas que te ayuden a entender la situación presente o bien los sucesos pasados que crearon la situación actual, y que te ayudarán a decidir cuál es el mejor curso de acción para el futuro. Aunque hay aspectos en tu vida que no puedes controlar, también existen muchos que sí puedes. Céntrate en ellos y adopta un enfoque activo hacia tu vida. Se trata de tu vida. Aquí tienes algunos ejemplos:

POCO EFECTIVA: ¿Hallaré pronto el amor verdadero?

MÁS EFECTIVA: ¿Qué puedo hacer para atraer más amor a mi vida?

POCO EFECTIVA: ¿Mejorará mi situación económica?

MÁS EFECTIVA: ¿Cómo puedo mejorar mi situación económica?

Naturalmente, hay aspectos y sucesos que no vas a poder controlar. Pero sí puedes decidir cómo reaccionar ante ellos. Las cartas te pueden ayudar también en estos casos y, de nuevo, la forma en que enfoques la cuestión será muy importante. Por ejemplo:

POCO EFECTIVA: La compañía va a reducir personal y perderé mi puesto de trabajo. ¿Qué voy a hacer?

MÁS EFECTIVA: La compañía va a reducir personal y perderé mi puesto de trabajo. ¿Qué nuevas oportunidades tengo ante mí?

POCO EFECTIVA: Mi padre ha muerto recientemente. ¿Cuándo terminará este dolor?

MÁS EFECTIVA: Mi padre ha muerte recientemente. ¿Qué puedo hacer para sanar este dolor?

Una vez has decidido la pregunta, escríbela. Esto te ayudará a mantenerte centrado mientras interpretas la lectura.

Seleccionar una tirada

Una tirada es un diagrama que te dice cómo extender las cartas y lo que significa cada posición. El significado de la posición afectará a cómo interpretas la carta. Si esto te parece un poco confuso, no te preocupes. Más adelante te daré algunos ejemplos.

Luego te comentaré una serie de tiradas. Además, hay montañas de libros de tiradas, e incluso muchas de ellas están disponibles en Internet. Normalmente hay una frase o dos que indican el tipo de pregunta para el cual está diseñada cada una de ellas. Examina las tiradas, lee la descripción y mira el significado de cada una de las posiciones. Así, sabrás si una determinada tirada es adecuada o no para la pregunta que deseas realizar.

No creas que debes usar forzosamente una tirada ya diseñada. Si lo deseas, puedes inventar tú mismo una que sirva para responder a una pregunta concreta.

Barajar las cartas

Puedes barajar las cartas como quieras. Algunos gustan de hacer que barajar las cartas forme parte de su ritual. Por ejemplo, barajan el mazo siempre el mismo número de veces en cada lectura, o bien, después de barajar, lo dividen en tres partes y luego las vuelven a juntar en un orden distinto. Lo hagas como lo hagas, recuerda que mientras barajas deberás centrarte en tu pregunta, e invitar al reino de las hadas a dirigir la acción de barajar.

Extender las cartas

La tirada que selecciones te dirá en qué orden y en qué posiciones debes poner las cartas. Tendrás que decidir dos cosas.

Primero, ¿cómo vas a seleccionar las cartas que extenderás? Después de barajar, puedes sencillamente tomar las cartas de la parte superior del mazo. O bien extenderlas mirando hacia abajo, y tomar una a una al azar.

Después, ¿vas a extender las cartas hacia abajo o con las figuras hacia arriba? Te sugiero que lo hagas hacia arriba; así podrás ver la tirada en su totalidad, antes de comenzar a leer cada una de las cartas. Más tarde, cuando comente la interpretación de la lectura, verás lo práctico que es esto. Sin embargo, si lo deseas, puedes también poner las cartas hacia abajo e ir girándolas para interpretar cada una de ellas. Esto aumenta la sensación de misterio y te permite centrarte en cada una de las cartas.

Interpretar la lectura

Asumiendo que has extendido las cartas con las figuras hacia arriba, lo primero que harás es considerar la lectura como un todo, teniendo en cuenta los siguientes consejos:

1. Si predominan los Arcanos Mayores (si son más de un tercio de las cartas de la tirada), esta tirada tendrá un significado especial. Tal vez contenga un significado espiritual profundo, quizás indique un importante

cambio en tu vida o muestre más sucesos de lo usual que se escapan a tu control.

2. Si hay muchas figuras de la corte (más de la cuarta parte de las cartas de la tirada), indica que están implicadas otras personas o bien diversos aspectos de tu personalidad.

3. Si uno de los palos predomina sobre los demás, ten en cuenta lo siguiente:

a) Bastos: trabajo o proyectos; en esta situación deberás esperar energía de movimiento rápido (especialmente si en la tirada hay algún caballero).

b) Copas: la situación está dominada por el amor, las relaciones o las emociones.

c) Espadas: los problemas, los retos y tu forma de pensar tendrán mucho que ver con la situación presentada.

d) Pentáculos: el dinero, la salud, los recursos o el hecho de terminar algo van a ocupar un lugar importante en la situación.

4. Las cartas de número pueden desempeñar un papel independiente de su palo.

a) Si hay diversos ases, varias cartas con el número dos o tres, eso indica que la situación está en sus comienzos.

b) Si hay varios cuatros, cincos o seis, la situación se encuentra en la mitad.

c) Si hay varios sietes, ochos o nueves, está ya cercana a concluir.

d) Si hay dieces, se halla casi concluida y una nueva está ya desarrollándose (especialmente si en la tirada aparece también algún as).

5. A veces, al barajar, algunas cartas se sitúan al revés, y al levantarlas luego aparecen boca abajo. Es lo que se llama cartas "invertidas". En el *Tarot de las hadas* las cartas invertidas son aquellas a las que las hadas desean que les concedamos una especial atención.

Una vez efectuada la revisión general, deberás abordar cada una de las cartas. En primer lugar observa la imagen, para ver qué significado encuentras en ella. Atiende y escucha si te llega algún mensaje especial, más allá del significado plasmado en ella. Seguidamente, observa el significado de la carta, y piensa en ella relacionándola con su ubicación dentro de la tirada. Finalmente, considera el mensaje de la carta en su posible relación con la pregunta. Utilizando este proceso, podrás interpretar cada carta como una parte de la respuesta a la pregunta que realizaste. Una vez hayas hecho esto con cada una de las cartas, deberás sintetizarlo todo a fin de obtener tu respuesta. Algunas personas prefieren tomar nota de sus lecturas a medida que las realizan, especialmente si en ellas se han usado más de tres cartas. Como ves, se puede obtener mucha información partiendo de una sola carta, aunque cuantas más participen en la tirada, más detalles deberás tener en cuenta.

Dar gracias a las hadas por su ayuda

Una vez concluida la lectura, es bueno dar las gracias a las hadas, especialmente si piensas recurrir a ellas otra vez en el futuro.

Limpiar y guardar las cartas

Al final, tal vez desees limpiar las cartas antes de realizar otra lectura o antes de guardarlas. Esto se puede hacer de muchas maneras. Una de ellas es la siguiente:

1. Coloca todas las cartas boca arriba y en orden.
2. Imprégnalas con el humo de una ramita de salvia a la que previamente habrás prendido fuego.
3. Guárdalas junto con una rosa o un cristal de cuarzo.

La siguiente idea no siempre es muy práctica, pero resulta muy efectiva para invitar a que la energía de las hadas participe en tus lecturas: una noche de luna llena, deja tu mazo en el alféizar de la ventana (por el interior).

Capítulo 6

Tiradas

1

La gota de rocío

Las hadas más pequeñas usan gotas de rocío como espejos. Esta lectura de una sola carta funciona como un espejo. Simplemente pregunta: "¿Qué necesito saber acerca de ___________?" o bien: "¿Qué necesito saber hoy?". Luego saca una carta y así obtendrás una respuesta rápida.

El estanque de los lirios

Los estanques con lirios poseen una cualidad mágica que nos da claridad e inspiración. Esta sencilla tirada de tres cartas te ayudará a ver una situación con mucha más claridad, al tiempo que te inspirará con relación al futuro posible.

1. PASADO: los sucesos o los actos del pasado que sirvieron de base para la situación actual.
2. PRESENTE: lo que está ocurriendo en este momento.
3. FUTURO: con base en los sucesos pasados y presentes, sabremos cuál es el futuro más probable.

Si no te satisface la interpretación de la última carta, puedes realizar otra lectura. Por ejemplo, si deseas cambiar el futuro, intenta la tirada de *la bellota y el roble*, o si quieres comprender por qué no te gusta ese probable futuro, prueba con *el paseo nocturno por el bosque*.

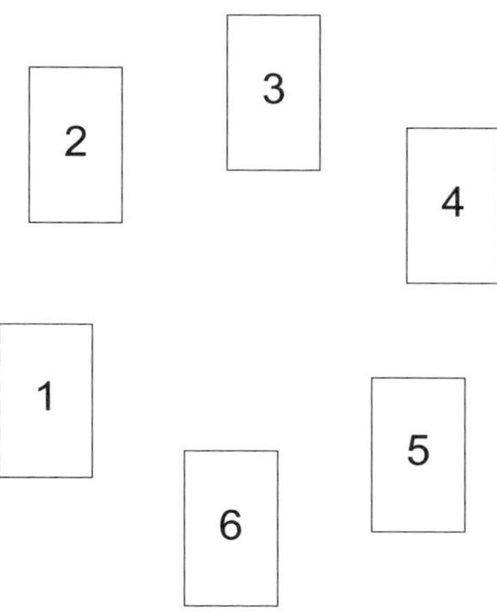

El círculo de las hadas

Para realizar esta lectura, divide las cartas en seis montoncitos, uno de ellos con los Arcanos Mayores, luego uno para cada palo y otro con todas las figuras de la corte. Baraja cada uno de los grupos separadamente. A continuación colócalos de esta forma:

1. Arcanos Mayores.
2. Bastos.
3. Copas.
4. Espadas.
5. Pentáculos.
6. Figuras de la corte.

Las hadas gustan de reunirse en círculos para bailar y realizar sus celebraciones. Después que ellas se van, en el círculo por donde danzaron crecen hongos. Con esta tirada descubrirás aspectos de ti mismo que deberías celebrar y otros que seguramente querrás mejorar.

Estas cartas representan los aspectos mejores y más fuertes de tu personalidad. Valóralos y utilízalos para convertir tu vida en aquello que siempre soñaste.

Da la vuelta a la carta superior de cada uno de los montoncitos, e interprétala de la siguiente manera:

1. Tu punto espiritual más fuerte.
2. Tu característica emprendedora más notable.
3. Tu mayor fuerza emocional.
4. Tu mejor respuesta a los problemas.
5. Tu habilidad más admirable en cuanto a finanzas y recursos.
6. El aspecto de tu personalidad que más te gusta.

Después, saca la carta inferior de cada uno de los montones, deposítala sobre la carta superior formando una cruz e interprétala de la siguiente manera:

1. Tu reto espiritual más importante en este momento.
2. Tu actitud más problemática con respecto al trabajo.
3. Tu reto emocional más difícil en este momento.
4. Tu mayor miedo cuando te enfrentas a un problema.
5. Tu debilidad en el ámbito financiero.
6. El aspecto de tu personalidad que menos te gusta.

Estas cartas te muestran aquellas partes de ti mismo con las que estás menos satisfecho. Una vez las comprendas, habrás avanzado mucho para poder mejorar tanto dichos aspectos como tu vida en general.

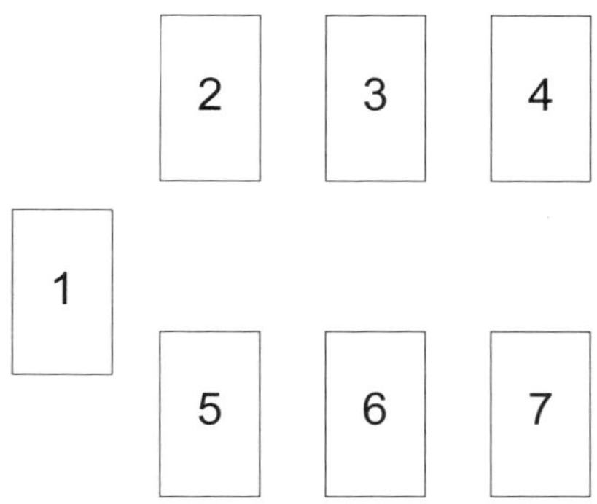

Dos senderos del jardín

Resulta que has llegado a una bifurcación en el sendero que seguías a través del jardín. En la vida abundan este tipo de situaciones. Cuando debas elegir entre dos caminos, utiliza esta tirada, pues te ayudará mucho en tu decisión. Si se trata de una elección entre más de dos opciones, simplemente varía la tirada añadiendo más caminos.

1. Lo que debes saber acerca de dónde te encuentras en este momento.

2 y 5. Éstas son las ventajas de cada camino.

3 y 6. Éstas son las partes menos agradables de cada camino.

4 y 7. Éstas son los probables resultados de cada camino.

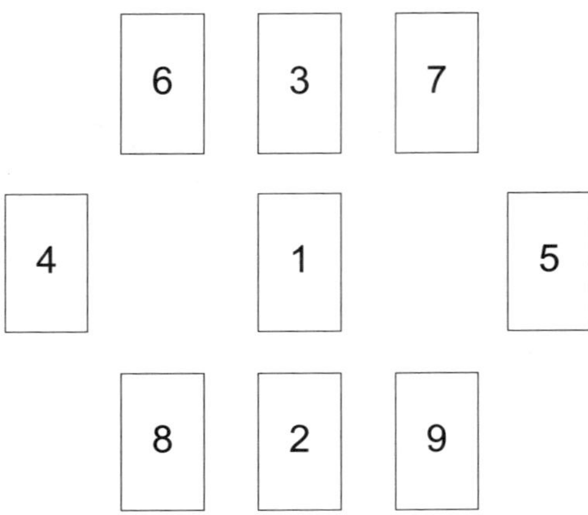

La margarita, me ama... no me ama

Esta tirada está inspirada en la tradición de deshojar los pétalos de una margarita para averiguar la verdad de un amor. Sin embargo, aborda el asunto de un modo un poco distinto, pues se centra principalmente en cómo te sientes acerca de esa relación. Con esta tirada podrás ver tu relación con mayor claridad y sin duda hallarás modos de mejorarla.

1. Aquello que necesitas saber acerca de cómo ves la relación.
2. La base o el aspecto más sólido de esta relación.
3. Lo que esperas de ella.
4. Qué hechos del pasado están afectando a la relación.
5. Qué puedes esperar de ella.
6. Aquello que más aprecias en la relación.
7. Cómo puedes mejorar todavía eso que más aprecias.
8. Lo que menos te gusta en esta relación.
9. Qué puedes hacer para mejorar eso que menos te agrada.

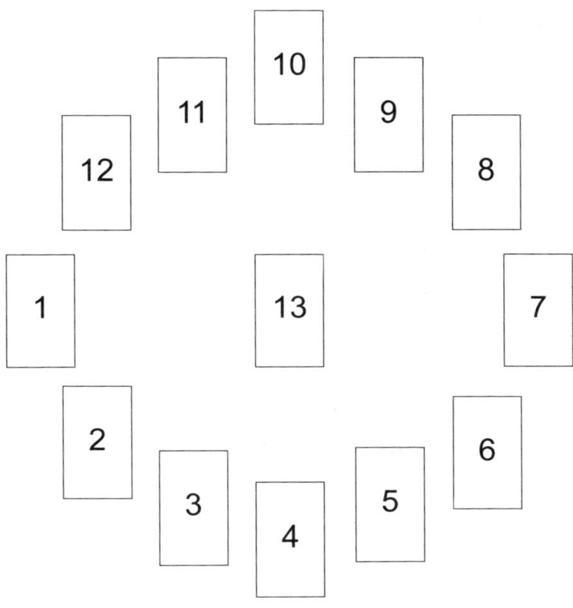

El girasol natal

Cada año, el sol vuelve a pasar por el mismo lugar en el que se hallaba en el momento en que naciste. Por eso, el girasol es un símbolo adecuado para el cumpleaños. Es conveniente realizar esta tirada cada año en ese día tan especial a fin de obtener alguna indicación acerca de lo que el año te depara en diferentes campos. Está basada en las cartas de las lecturas astrológicas.

13. Lo que debes saber en este momento.
1. Tu personalidad y la imagen que tienes de ti mismo.
2. Tu sistema de valores y tus recursos materiales.
3. Tus hermanos y la comunicación.

4. Tus padres, tu casa y tu familia.

5. La creatividad, los asuntos del corazón, la diversión y los niños.

6. El trabajo, las responsabilidades y la salud.

7. Las asociaciones (tanto románticas como de negocios o trabajo).

8. El sexo, la muerte y el dinero de otras personas.

9. Los viajes, la enseñanza superior y las conexiones espirituales.

10. Tu imagen pública, la vocación y la ambición.

11. Los amigos, las esperanzas, las metas y los deseos.

12. Tu ser interno, los sueños, los secretos y el pasado.

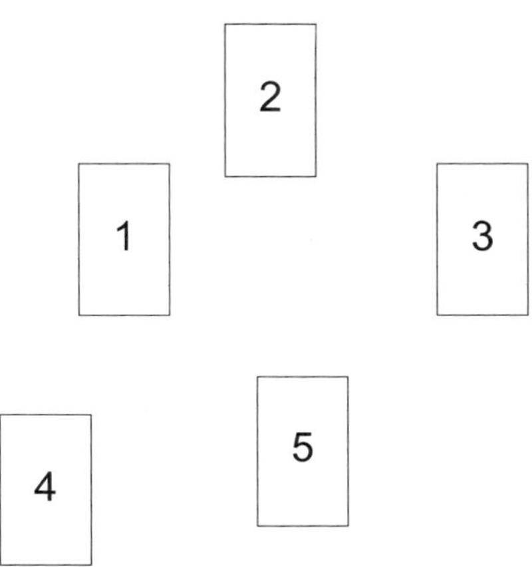

Los pétalos de rosa

Desde siempre las rosas se han relacionado con el amor y el romance. Esta tirada ha sido diseñada para ayudarte a atraer el amor a tu vida.

1. Algo bello que necesitas hacer para ti mismo.
2. Algo que debes aprender.
3. Un asunto que has de afrontar.
4. Pasos que deberás tomar para llegar al amor.
5. La meta hacia la cual debes ir.

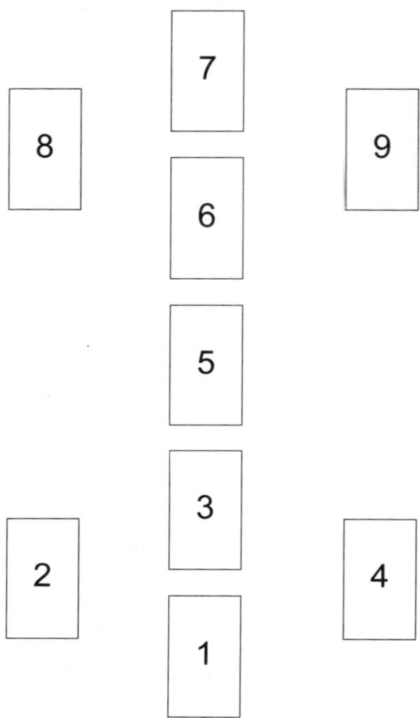

La bellota y el roble

Los enormes robles crecen a partir de una pequeña bellota. Puedes hacer que tus sueños —cualquier sueño, ya se trate de amor, dinero, familia, tu casa o unas vacaciones— se conviertan en realidad. Para ello puedes utilizar esta tirada. Funciona de un modo un poco distinto a las demás, ya que utilizarás las cartas boca arriba para tomar la primera y la séptima. En primer lugar, observa las cartas y selecciona aquella que mejor represente tu meta. Ésta será tu roble, y la colocarás en la posición 7. Después examina otra vez las cartas y toma aquella que mejor represente el lugar donde te encuentras actualmente en relación con la meta. Ésta es tu bellota, y la ubicarás en la posición 1. El resto de las cartas se barajan y se extienden de la forma usual. Ellas te dirán qué debes hacer para lograr tu meta y lo que puedes esperar por el camino.

1. La bellota: tu posición actual.
2. La tierra: los recursos que precisas para empezar.
3. La luz del sol: aquello que necesitas conocer para ayudar al crecimiento de la bellota.
4. El agua: lo que debes saber para cuidarla y nutrirla.
5. El nudo: demoras inesperadas que puedes prever y tal vez evitar.
6. El tronco: lo que te ayudará a fortalecerte.
7. Tu roble: tu meta.
8. Las ramas: los beneficios de tu roble.
9. Las hojas: regalos inesperados de tu roble.

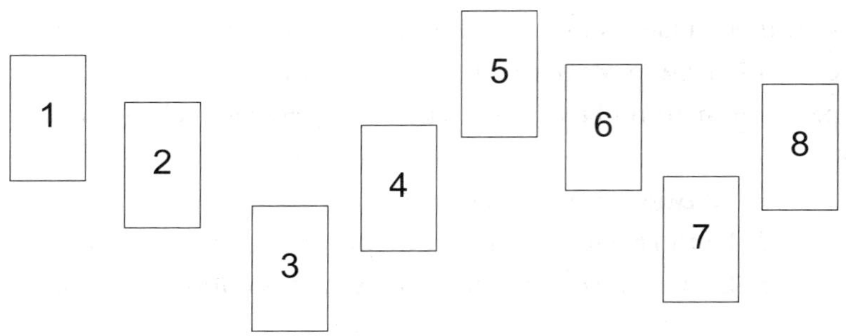

El paseo nocturno por el bosque

Pasear en la noche por el bosque puede ser una experiencia hermosa y mística. Pero si se trata de un bosque grande con el que no estamos familiarizados, dicha experiencia puede resultar inquietante al desconocer la ubicación de los peligros y debido a que la luz de la luna puede distorsionar las formas. Cuando te hallas ante algo que te altera o te asusta, dicha situación puede compararse al paseo nocturno por el bosque. La mente puede equivocarte, haciéndote ver cosas distintas a la realidad. Esta tirada te ayudará a identificar aquello que te produce miedo y a saber qué contiene de real y qué es producto de la ilusión generada por la luz de la luna. El conocimiento es poder y esta tirada te dará el poder que necesitas para afrontar tus miedos.

1. Aquello que más necesitas saber acerca de lo que temes.
2. El aspecto de tu miedo que es real.
3. Cómo puedes combatirlo.
4. Aspectos de tu miedo que son ilusorios.
5. Cómo puedes liberarte de los aspectos ilusorios.
6. Lo que más temes.
7. Cómo puedes vencerlo.
8. Lo que aprenderás venciendo a ese miedo.

Capítulo 7

Muestras de Tiradas

Dorothy y su trabajo

Dorothy tiene que hacer una presentación en su trabajo. Hace poco la ascendieron y ésta va a ser su primera presentación. Está nerviosa y emocionada, y por eso recurre al jardín de las hadas en busca de guía y consejo, utilizando la tirada de *la gota de rocío*.

PREGUNTA: ¿qué necesito saber para causar una buena impresión con mi presentación?

CARTA: la Rueda de la Fortuna.

INTERPRETACIÓN: el mensaje para Dorothy es que la clave reside en su actitud. No debe considerar dicha presentación como un suceso descomunal y aterrador que debe ser superado. En lugar de eso, deberá verla como una oportunidad para mostrar su confianza y exponer sus habilidades y capacidades al tiempo que exhibe sus conocimientos. Si se prepara bien y conoce a fondo el tema del que va a hablar, la situación —ya se trate de una presentación formal, de una reunión de ejecutivos o de la visita a un cliente— no entrañará problema alguno. Ella sabe lo que está haciendo y podrá manejarse con aplomo.

Emily y su cita. Primera parte

Emily tiene poco más de veinte años y acaba de terminar con una relación de años. Bueno, en realidad fue su novio quien la terminó. Se siente rara e inquieta y en realidad desea tener otra relación. Finalmente decide pasar a la acción a fin de buscar su verdadero amor. De modo que aborda a Joe, a quien conoció a través de una compañera de trabajo y a quien ha visto varias veces. El día de la cita se acerca y Emily está ansiosa. "¿Será éste el correcto?", se pregunta. Para averiguarlo, decide probar con la tirada *el estanque de los lirios*.

PREGUNTA: ¿qué puedo esperar de mi cita con Joe?
PASADO: el Dos de Espadas.
PRESENTE: el Caballero de Copas invertido.
FUTURO: el Caballero de Bastos.

Emily se da cuenta inmediatamente de los dos caballeros, lo que le indica que las cosas van a ir rápido y eso hace que se sienta muy feliz... al menos inicialmente.

Al interpretar más detenidamente la tirada, esto es lo que ve:

PASADO (DOS DE ESPADAS): Emily ha decidido conscientemente salir con Joe. Su meta es encontrar el amor verdadero.

PRESENTE (CABALLERO DE COPAS INVERTIDO): al estar invertida, esta carta reclama su atención. Parece que está más preocupada por el romance que por la realidad. ¿Es así realmente?

FUTURO (CABALLERO DE BASTOS): esta carta indica que ella va a involucrarse en una relación sin pensarlo demasiado. No debería perder de vista otros aspectos dignos también de tener en cuenta.

Esta lectura hace que Emily se plantee cuáles son sus verdaderos motivos. Su última relación acabó porque él creía que ella lo había arrastrado a un compromiso demasiado precipitadamente. Ahora, incluso antes de haber salido con el chico, se pregunta si no estará cometiendo otra vez el mismo error. Puesto que no es esto lo que ella desea y tampoco le gusta demasiado el futuro presentado por las cartas, decide realizar la tirada de *la bellota y el roble*.

Emily y su cita. Segunda parte

Algo tiene muy claro: lo que busca es el amor. ¿Quién no? Y no hay nada malo en ello. Pero ¿qué debería hacer para, en verdad, experimentarlo, en lugar de forzar las cosas sin resultado? Decidida a averiguarlo con la tirada de *la bellota y el roble*, elige al caballero de copas como su bellota, pues representa su situación actual de soñar acerca del amor. Selecciona también los amantes para simbolizar su meta: estar preparada para el amor y realizar la elección correcta.

1. Su BELLOTA: el Caballero de Copas.
2. LA TIERRA: el Dos de Pentáculos.
3. LA LUZ DEL SOL: el Dos de Bastos.
4. EL AGUA: el Dos de Copas.
5. EL NUDO: el Diablo.
6. EL TRONCO: el Siete de Pentáculos.
7. SU ROBLE: los Amantes.
8. LAS RAMAS: el Sacerdote.
9. LAS HOJAS: el Ermitaño invertido.

Examinando la tirada, se sorprende mucho de ver que todas las cartas relacionadas con el crecimiento de la bellota son "dos", es decir, representan el principio de algo y con frecuencia tienen que ver con una elección o un compromiso. Le da un poco de miedo que el nudo sea el Diablo, pero en la línea superior son todos Arcanos Mayores, lo cual parece prometedor.

1. LA BELLOTA, SU POSICIÓN ACTUAL (el CABALLERO DE COPAS): esto es algo que ella ya sabe. Sus expectativas acerca de la relación y su idea sobre el amor son poco razonables.
2. LA TIERRA, LOS RECURSOS QUE NECESITA PARA EMPEZAR (DOS DE PENTÁCULOS): deberá establecer un orden de prioridades. Antes de involucrarse en una relación tiene que prepararse.
3. LA LUZ DEL SOL, AQUELLO QUE NECESITA CONOCER PARA AYUDAR AL CRECIMIENTO DE LA BELLOTA (DOS DE BASTOS): debe prometerse a sí misma que continuará con el plan que haya establecido, independientemente de las distracciones que se presenten.

4. EL AGUA, LO QUE NECESITA SABER PARA CUIDARLA Y NUTRIRLA (DOS DE COPAS): si sale con Joe, o con cualquier otro, deberá disfrutar las primeras fases de la relación como lo que son. Tendrá que centrarse en conocer a la persona y en divertirse, antes que el amor comience a desarrollarse.

5. EL NUDO, DEMORAS INESPERADAS (EL DIABLO): debe recordar que está tratando de romper un patrón de comportamiento y que sólo por el hecho de decidirlo, no va a resultar fácil. Sus viejos hábitos pueden interferir en el proceso. Su relación con un chico no es lo que la define como persona.

6. EL TRONCO, LO QUE LA AYUDARÁ A FORTALECERSE (SIETE DE PENTÁCULOS): puede planificar acerca del nudo —sus viejos hábitos— manteniendo su sentido de identidad y cerciorándose de que vive su vida, más allá de su relación. Deberá asegurarse de seguir haciendo planes con sus amigos y su familia, y huir de la tentación de pasar todo el tiempo con la persona con la que está saliendo.

7. SU ROBLE, LA META (LOS AMANTES): a través de este proceso y si realiza las elecciones correctas, se descubrirá a sí misma y será feliz con ese descubrimiento. Tendrá mucho más que ofrecer a su compañero y con seguridad disfrutará de una relación más satisfactoria.

8. LAS RAMAS, LOS BENEFICIOS (EL SACERDOTE): deberá centrarse en desarrollarse a sí misma y en aprender. Ir a clase o realizar algún tipo de voluntariado la reforzará.

9. LAS HOJAS, REGALOS INESPERADOS (EL ERMITAÑO INVERTIDO): para Emily, ésta es la mayor sorpresa. ¿Quién habría pensado que su finalidad —estar con otra persona— la llevaría a descubrirse a sí misma y a disfrutar estando

sola? Irónicamente, su necesidad de tener una relación será ya mucho menor.

Kelly se muda de casa

Kelly siempre ha vivido en Nueva York. Por un capricho fue a una entrevista para un trabajo en Seattle y para su gran sorpresa, le dieron el puesto. Aunque no se trata del trabajo de sus sueños, no es tampoco una mala oferta. Ganará mucho más de lo que ahora percibe en Nueva York; además, este cambio sin duda representa un ascenso, y las prestaciones de la compañía también son importantes. En este momento de su vida, no hay motivo para no tomar el puesto que le ofrecen, excepto el hecho de trasladarse al otro extremo del país y tener que dejar a su familia y a sus amigos. Se siente emocionada, pero al mismo tiempo tiene miedo; por eso decide recurrir a la ayuda de las hadas a través del *paseo nocturno por el bosque*.

La tirada

PREGUNTA: ¿por qué me asusta tanto trasladarme a Seattle?
1. ¿Qué necesita saber acerca de su miedo?: Siete de Bastos.
2. ¿Qué aspecto de su miedo es más real?: Ocho de Pentáculos.
3. ¿Cómo puede combatirlo?: el Mundo.
4. ¿Qué aspectos de su miedo son ilusorios?: la Rueda de la Fortuna invertida.
5. ¿Cómo puede liberarse de lo ilusorio?: la Temperancia.
6. ¿Qué es lo que más teme?: Tres de Espadas invertido.
7. ¿Cómo puede vencerlo?: Reina de Copas.
8. ¿Qué aprenderá venciendo ese miedo?: los Amantes.

Interpretación

1. ¿Qué necesita saber acerca de su miedo? (Siete de bastos): esta carta indica un desacuerdo en una sociedad, pero su miedo no afecta a nadie más que a ella, por lo que en este caso de lo que se trata es de ella y de su miedo. Su miedo quiere que se quede en Nueva York y no acepta ningún acuerdo. O bien se queda o lo afronta y se libera para ir donde le plazca. También podría ser que decidiese permanecer en Nueva York por otros motivos ajenos al miedo.

2. ¿Qué aspecto de su miedo es más real? (Ocho de pentáculos): esto no lo esperaba ella. Lo que más la asusta es que tendrá que aprender cosas nuevas, como desplazarse por otra ciudad, dónde comprar y dónde hallar nuevos amigos. Tratándose de una joven independiente y brillante, ¿quién lo diría?

3. ¿Cómo puede combatirlo? (El Mundo): también esta carta es sorprendente, aunque obvia. Kelly decide leerla literalmente, es decir, deberá combatir el miedo a conocer una nueva ciudad con la emoción de explorar el mundo.

4. ¿Qué aspectos de su miedo son ilusorios? (La Rueda de la Fortuna invertida): al estar invertida, Kelly sabe que debe poner mucha atención al significado de esta carta, que tiene que ver con cosas que cambian constantemente y con la necesidad de permanecer centrada y fiel a sí misma. Ha vivido en el mismo lugar durante mucho tiempo, y en él muy poco es lo que ha cambiado. Se ha estado definiendo a sí misma en términos de Nueva York. ¿Perderá su sentido

de identidad si Nueva York deja ya de ser el centro de su vida?

5. ¿CÓMO PUEDE LIBERARSE DE LO ILUSORIO? (LA TEMPERANCIA): también esta carta tiene que ver con estar centrada, con estar segura de quién es. Como la anterior, le dice que sea ella misma, independientemente de lo que ocurra a su alrededor.

6. ¿QUÉ ES LO QUE MÁS TEME? (TRES DE ESPADAS INVERTIDO): otra carta invertida. Tiene miedo de la añoranza, de sentirse mal lejos de su casa y que eso le impida lograr un buen desempeño en su nuevo trabajo, en su nuevo entorno y en su nueva vida. Lo que en realidad teme es volver a Nueva York como una fracasada.

7. ¿CÓMO PUEDE VENCERLO? (REINA DE COPAS): esto es interesante. Esta carta describe a Kelly. De hecho, ella es bastante sensual, por eso le gusta Nueva York, ciudad donde hay tanto que ver y tanto que experimentar. Las dos cartas anteriores le aconsejaban que fuese ella misma. Lo que más teme es fracasar, y esta carta le dice que puede perder el miedo al fracaso siendo ella misma. Kelly cree que lo ha entendido: si desea irse, puede hacerlo. Y si aquello no le gusta, puede volver. El éxito es hallar aquello que nos hace felices, aunque haya que probar antes diferentes opciones. No se trata de acertar a la primera.

8. ¿QUÉ APRENDERÁ VENCIENDO ESE MIEDO? (LOS AMANTES): ¿encontrará a su alma gemela en Seattle? Es posible. Pero lo que sin duda aprenderá es a tomar decisiones basándose en razonamientos, no en el miedo.

Guía de **Referencia** rápida

Arcanos Mayores

0 – EL LOCO: sigue tus sueños.

1 – EL MAGO: utiliza sabiamente tu talento.

2 – LA SACERDOTISA: vive tus dolores.

3 – LA EMPERATRIZ: cuida y alimenta con amor, sin controlar.

4 – EL EMPERADOR: sirve al bien.

5 – EL SACERDOTE: busca el conocimiento superior.

6 – LOS AMANTES: elige con sabiduría y ama profundamente.

7 – EL CARRO: toma el control.

8 – LA FUERZA: acepta agradecido el poder.

9 – EL ERMITAÑO: cuestiónate tus creencias.

10 – LA RUEDA DE LA FORTUNA: elige sabiamente tus reacciones.

11 – LA JUSTICIA: elige sabiamente tus actos.

12 – EL HADA COLGADA: sacrificio y fe.

13 – LA MUERTE: aceptación y esperanza.

14 – LA TEMPERANCIA: céntrate y busca el equilibrio.

15 – EL DIABLO: elige cuidadosamente tus placeres.

16 – LA TORRE: destrucción de una creencia.

17 – LA ESTRELLA: renovación y guía.

18 – LA LUNA: bellos sueños e ilusiones peligrosas.

19 – EL SOL: felicidad y alegría.

20 – EL JUICIO: sigue la llamada de Arriba.

21 – EL MUNDO: culminación de una gran obra.

Bastos

As: aventura.

2: asociación, sociedad, compañerismo.

3: oportunidad.

4: prosperidad.

5: reto.

6: victoria.

7: desafío.

8: rapidez.

9: capacidad para adaptarse.

10: carga.

Copas

As: nuevo amor.
2: compromiso.
3: celebración.
4: aburrimiento.
5: pena.
6: recuerdos.
7: elecciones.
8: buscar.
9: plenitud.
10: contento.

Espadas

As: problema.
2: protección.
3: dolor de corazón.
4: descanso.
5: discusión.
6: decisión.
7: rapidez.
8: restricción.
9: crueldad.
10: esperanza.

Pentáculos

As: fundamento.
2: equilibrio.
3: habilidad.
4: posesiones.
5: pobreza.
6: generosidad.
7: planificación.
8: aprendizaje.
9: comodidad.
10: riqueza.

Sobre la autora

Barbara Moor es especialista diplomada por la Asociación Americana del Tarot y con frecuencia imparte conferencias sobre este tema por todo el país. Artículos suyos han sido publicados en numerosas revistas sobre el tarot, así como en *New Worlds of Mind and Spirit*, la revista de Llewellyn Publications. Ha formado parte del consejo editorial del *Tarot Journal*. Ha estudiado con renombrados eruditos del tarot y a su vez da clases a todo tipo de estudiantes. Entre sus obras se hallan *The Gilded Tarot Companion* y *What Tarot Can Do for You*, ambas editados por Llewellyn.

Sobre la pintora

Linda Ravenscroft es una pintora autodidacta, cuyas hermosas y detalladas imágenes podemos ver en cualquier parte del mundo, plasmadas tanto en artículos de regalo como en hermosos libros de arte, entre ellos *The Art of Faerie* y *The World of Faerie*. Su libro *How to Draw and Paint Fairies: A Step-by-Step Guide to Fairy Art*, fue un éxito clamoroso, y fue traducido a numerosos idiomas.

En su página web podéis ver más sobre ella y su arte:

www.lindaravenscroft.com

Índice